LA LITTÉRATURE FRANCO-AMÉRICAINE: ÉCRIVAINS ET ÉCRITURES

FRANCO-AMERICAN LITERATURE: WRITERS AND THEIR WRITINGS

Sous la direction de
Claire Quintal
Directrice de l'Institut français

Institut français
Collège de l'Assomption
Worcester, Massachusetts
1992

Les poèmes et la préface de Bill Tremblay sont publiés avec la permission de
BOA Editions, pour les textes tirés de *Duhamel: Ideas of Order in Little
Canada,* et des Presses de l'Université du Massachusetts pour les poèmes de
Crying in the Cheap Seats.
Bill Tremblay's poems and preface from Duhamel: Ideas of Order in Little
Canada *are published here with the permission of BOA Editions; the poems
from* Crying in the Cheap Seats *are published with the permission of the
University of Massachusetts Press.*

©Editions de l'Institut français
Collège de l'Assomption
500 Salisbury Street
Worcester, Massachusetts 01615-0005

ISBN 1-880261-00-6

Cet ouvrage a été publié grâce à des subventions de la
Rowe Foundation et du **Fonds Wilfrid et Oda Beaulieu**.
Ce dernier fonds, constitué en 1989 par Denyse Beaulieu McGovern
et son mari, Liam, commémore l'attachement sans faille des parents
de Denyse tout au long de leur
vie aux valeurs franco-américaines.
C'est par le moyen du journal *Le Travailleur* (1931-1979)
que ce couple s'est voué, corps et âme, à la survivance en
Franco-Américanie.
Les **Archives Wilfrid Beaulieu** peuvent être consultées
à la **Boston Public Library**.

This book has been published thanks to the support of the
Rowe Foundation and the **Wilfrid and Oda Beaulieu Fund**.
The Beaulieu Fund, established in 1989 by Denyse Beaulieu McGovern
and her husband, Liam, honors the life-long, unremitting
attachment of her parents to Franco-American values.
It is through the newspaper *Le Travailleur* (1931-1979) that this couple
devoted themselves wholeheartedly to maintaining the
French-Canadian heritage in New England.
The **Wilfrid Beaulieu Archives** can be consulted
at the **Boston Public Library**.

A Normand-C. Dubé
1932-1988
enfant du Maine, chantre du peuple

Il a su donner une voix aux gens de chez nous.
Que son coeur repose enfin en paix.

TABLE DES MATIÈRES
TABLE OF CONTENTS

Part Two
Deuxième partie

PRÉFACE

Claire Quintal

Y a-t-il une littérature franco-américaine? A cette question, Louis Dantin répondait, "Il n'existe pas de littérature franco-américaine et il n'en existera jamais." Aux prises avec cette question controversée, Soeur Mary Carmel Therriault, s.m., dans sa thèse de doctorat sur la littérature franco-américaine, répondait timidement en 1947 "nous croyons qu'il en existe une".

Sommes-nous moins exigeants ou plus ouverts à la fin de ce 20e siècle, puisque nous avons osé consacrer un colloque à cette littérature et aux écrivains franco-américains? Au lecteur d'y répondre en prenant connaissance ici d'oeuvres, pendant longtemps si difficiles à se procurer, souvent éparses dans les journaux, inaccessibles, sauf aux chercheurs.

Nous avons même élargi notre cadre en incluant des écrivains franco-américains pour qui l'anglais est la langue de choix. Vous trouverez donc dans ce volume, côte à côte, des écrivains dont l'oeuvre est écrite en anglais aussi bien que ceux dont l'oeuvre tient sa sève de la langue maternelle de l'auteur.

Hélas, vous ne trouverez pas dans ce livre **tous** les écrivains franco-américains. Faute de chercheurs, nous avons dû nous limiter aux auteurs sur lesquels des études existent. Pour ce qui est des vivants, il nous a semblé qu'il fallait tout bonnement les inviter à parler de leur propre oeuvre s'ils le désiraient ou, tout au moins, à nous en lire des extraits. C'est ce que nous avons fait dans le cas de David Plante, de Gerard Robichaud, de Normand Dubé, de Richard Belair, de Bill Tremblay et de Jacquie Giasson Fuller.

Le lecteur québécois trouvera ici deux noms qui lui sont connus, ceux de Louis Dantin et de Rémi Tremblay. Nous les avons inclus parce que ces deux écrivains ont vécu pendant de longues années aux Etats-Unis et y ont travaillé à leur oeuvre. Nous vous reservons aussi une surprise. Grâce au travail de Florence Blouin, Will James – ce romancier québécois du Far-Ouest américain – revit à travers une oeuvre qui a connu un énorme succès en son temps.

Le survol de la poésie franco-américaine donne au lecteur une vue d'ensemble sur les poètes franco-américains. Cela lui permettra de mieux situer Rosaire Dion-Lévesque qu'on a appelé "le plus grand poète franco-américain". Dion-Lévesque, traducteur de Walt Whitman, se retrouve ici avec Normand Dubé qui mérite de prendre place à ses côtés. Mort trop tôt, hélas, Dubé – tout au long de son oeuvre et de sa vie – a cherché à donner une voix aux petits, aux pauvres, aux déshérités de ce monde, car c'est avec le peuple que Normand Dubé se trouvait chez lui, le connaissant si bien qu'il s'en est fait le porte-parole éloquent et douloureux.

Notons aussi l'effort d'Ernest Guillet, qui tente de faire connaître tous les écrivains franco-américains de Holyoke, et qui, en ce faisant, prouve, si preuve il nous fallait, la vitalité intellectuelle de quelques grands centres franco-américains – vitalité poétique et romanesque aussi bien que journalistique.

Janet Shideler, pour sa part, apporte une touche féministe à ce tableau en nous décrivant l'oeuvre de Camille Lessard-Bissonnette, dont la carrière variée l'a conduite tour à tour du Québec, en Nouvelle-Angleterre et de là, à Montréal et dans l'Ouest canadien et américain, avant d'aller finir ses jours en Californie. De toute évidence, Camille Lessard-Bissonnette, tout comme ses ancêtres, se sentait à l'aise partout sur ce continent.

Robert Perreault retrace pour nous, pas à pas, avec la minutie qu'on lui connaît, le périple franco-américain de Jean-Louis Kerouac, né à Lowell en 1922. Bill Tremblay aussi évoque l'homme et son oeuvre, toujours vivante, dans son long poème sur l'enterrement de Kerouac.

La langue française a continué d'être parlée, écrite et lue en Nouvelle-Angleterre jusqu'à nos jours. Vous en trouverez la preuve ici. Vous constaterez aussi que c'est vers l'anglais que se tournent de plus en plus de nos jours les écrivains franco-américains. Qu'ils écrivent leur propre histoire et celle de leur famille, comme le fait avec autant d'audace que de talent David Plante, ou qu'ils décrivent tout simplement un aspect de la condition humaine, ils savent trop bien que leur avenir littéraire se jouera en anglais ou pas du tout. Le français est pour eux une "langue privée", comme le dit si bien David Plante qui a appris à prier en français. C'est en français que Daniel, un de ses personnages principaux – et qui n'est autre que l'auteur lui-même – "prie à son Dieu Canuck".

Le français, pour ces Franco-Américains, a été la langue du foyer et de l'église. Sur la place publique, on s'exprime depuis longtemps en anglais. Un David Plante, un Gérard Robichaud, un Richard Belair, un Bill Tremblay, une Jacquie Giasson Fuller, tout en écrivant en anglais, nous racontent néanmoins leur expérience franco-américaine, vécue dans les Petits Canadas de la Nouvelle-Angleterre.

Que les écrivains qui ne se trouvent pas ici nous le pardonnent. Nous leur promettons de faire amende honorable dans un proche avenir.

iii

Première partie
Part One

Louis Dantin
1865-1945

Yves Garon, a.a.

Pour répondre à l'invitation qui m'était faite de présenter, à ce colloque, une communication sur Louis Dantin, il m'a fallu ranimer des cendres, non pas les miennes, certes, mais celles de ce cher Louis Dantin. Je lui ai bien consacré une volumineuse thèse, mais c'était, il y a près de trente ans. Mais que ne ferait pas l'ancien professeur du collège de l'Assomption que je suis, pour l'Institut français, que dirige avec tant de dévouement et de maîtrise, Madame Claire Quintal! Aussi ai-je repris les quelques papiers que je garde encore, et me voici, pour vous parler un peu de Louis Dantin.

Louis Dantin a vécu en Nouvelle-Angleterre les quarante-deux dernières des quelque quatre-vingts années de sa vie. Il fut, de son temps, "le meilleur critique littéraire de l'Amérique française", écrit Auguste Viatte dans son *Histoire littéraire de l'Amérique française,* publiée en 1954. Ce dernier ajoute, parlant des écrivains franco-américains: "Par leur abondance, par leur qualité, trois écrivains dépassent la moyenne: Henri d'Arles, Louis Dantin, Rosaire Dion-Lévesque". Louis Dantin a donc bien sa place à un colloque sur les écrivains franco-américains. Henri d'Arles et Louis Dantin sont nés au Canada, mais, écrit Viatte, ils tirent "parti, même quand ils s'adressent aux Canadiens, d'une expérience américaine". En revanche, Rosaire Dion-Lévesque est "un homme né sur place". Ajoutons que tous trois sont contemporains, et l'on verra plus loin le rôle littéraire joué par Dantin auprès de Dion-Lévesque.

Il s'appelait en réalité Eugène Seers, mais n'écrivait jamais que sous un pseudonyme, presque toujours celui de Louis Dantin. Né en 1865, à Châteauguay, petite ville au sud de Montréal, il fit précocement des études très brillantes au collège de Montréal. Il n'a pas dix-huit ans, quand, au cours d'un voyage en Europe, il entre précipitamment dans la congrégation des Pères du Très Saint-Sacrement. Docteur en philosophie de la Grégorienne (Rome), en 1887, il est ordonné prêtre en l'église Saint-Sulpice de Paris, le 22 décembre 1888; il vient d'avoir vingt-trois ans. Deux ans plus tard, il est nommé supérieur et maître des novices à Bruxelles, puis, après deux autres années, supérieur de la maison de Paris et assistant général; il n'a pas tout à fait vingt-huit ans. Depuis quelques années cependant, sa foi est ébranlée, et, après une brève fugue, en septembre 1894, il est ramené à Montréal. Il y résidera au monastère de sa congrégation, mais en qualité d'hôte seulement. En 1896, il met sur pied une petite imprimerie, et, en janvier 1898, il fait paraître le premier numéro d'un mensuel: *Le petit messager du Saint-Sacrement*. Il commence aussi à écrire de petites choses que reproduisent *Les Débats* ou *L'Avenir*, deux hebdomadaires plutôt libéraux de Montréal. Le 25 février 1903, il quitte définitivement sa congrégation et vient s'établir à Boston. Il y travaillera comme imprimeur toute sa vie, en particulier aux Presses de l'université Harvard, de 1919 jusqu'à sa retraite en 1938. Louis Dantin meurt le 17 janvier 1945. Au cimetière de Brighton, une petite pierre porte ces seules indications: Eugène Seers, 1865-1945.

Ces quelques notes ne disent pas les détresses et les tristesses qui assombrirent toute sa vie. C'est que notre société faisait alors la vie plutôt dure à ceux qui, comme on le disait, "défroquaient": Dantin fut contraint à l'exil. Mais il se dira toujours heureux d'avoir trouvé aux Etats-Unis pain et liberté.

Autour de 1900, Dantin avait donc écrit quelques petites choses, mais ce qui le fit connaître et apprécier, ce fut la série d'articles qu'il consacra à Emile Nelligan, dans *Les Débats* de Montréal, en 1902. Ces articles, très légèrement retouchés, formeront la longue préface (35 pages) de la première édition des poèmes d'Emile Nelligan, édition que Dantin prépara lui-même, mais qui ne parut qu'après son départ de Montréal, soit en février 1904. Commencée vers 1900, la production littéraire de Dantin s'étale sur une quarantaine d'années, avec des années de silence. Ainsi, après son étude sur Nelligan, il ne publie pratiquement rien jusqu'en 1920. Soulignons tout de suite qu'en dehors de quelques petites pièces et de son étude sur Nelligan, toute l'oeuvre littéraire de Dantin a été composée aux Etats-Unis.

Louis Dantin fut peu connu en dehors du cercle assez étroit de nos lettrés, qui connaissaient et appréciaient surtout son oeuvre critique. Mais Dantin fut aussi, modestement, poète et conteur, et plus modestement, romancier, avec une seule oeuvre, et posthume encore,

Les enfances de Fanny.

Poète, il a publié *Le coffret de Crusoé* (1932). Bien plus tôt, en 1900, il avait édité *Franges d'autel,* formé aux trois quarts de ses propres poésies. A ces deux recueils, il faut ajouter trois longs poèmes: *Chanson javanaise* (1930), *Chanson citadine* (1931) et *Chanson intellectuelle* (1932). Le regretté docteur Gabriel Nadeau de Rutland, Massachusetts, a recueilli dans *Poèmes d'outre-tombe* tout ce qui n'avait pas paru en volume. L'oeuvre poétique de Dantin est malgré tout assez mince: 54 poèmes, soit 5,000 vers échelonnés sur plus de quarante ans, poèmes nés d'occasions diverses, mais dont le sujet privilégié est l'auteur lui-même, ses problèmes, ses souffrances, sa solitude, son coeur le plus souvent malheureux, poèmes "autobiographiques", confidences à peine voilées de ses aventures et échecs amoureux. Dantin avait une prédilection pour le poème familier qui s'appelle "chanson", "complainte" ou qui utilise la langue populaire. Cela dit assez la modestie de ses prétentions. Il fut un poète à la sensibilité étendue et profonde. Aux heures vraiment inspirées, son imagination est généreuse. Homme de goût, ses faiblesses sont des insuffisances non des écarts. Dans ses meilleurs moments, sa poésie est émue, assez brillamment imagée; elle touche profondément quand on sait ou devine qu'elle n'est pas gratuite, mais la confidence d'un coeur douloureux.

La première oeuvre littéraire de Dantin avait été un conte, "Le froment de Bethléem", imprimé en 1889. Dix-sept autres contes suivirent, égrenés tout au long de sa vie, le dernier paraissant en 1939, soit dix-huit contes en cinquante ans. Dix sont des contes de Noël, les autres ont des sujets divers. Une douzaine de ces contes parurent en un volume, *La vie en rêve,* en 1930. Le trait constant de tous ces contes est la singularité plus ou moins accentuée du sujet. Dantin cherche plus à intéresser qu'à émouvoir. Il est plus conteur intelligent que conteur né. Il aurait aimé cultiver davantage ce genre littéraire. Il a écrit en effet: "Peut-être eussé-je dû m'attacher à ce genre plutôt qu'à des analyses critiques qui sont, à un degré bien moindre, de la littérature personnelle et vivante". Et encore, quelques années plus tard: "Je n'ai [...] qu'un regret: c'est n'avoir pas employé mon effervescence d'antan à la production d'oeuvres originales, plutôt que m'attarder à la critique. Trois ou quatre volumes comme: *La vie en rêve,* quelques recueils de diatribes contre les abus sociaux, eussent mieux exprimé ma pensée intime..."

En 1951, paraissait le roman posthume de Dantin: *Les enfances de Fanny*. Commencé en 1936, il fut terminé en 1942, avec l'aide de Rosaire Dion pour les toutes dernières pages. C'est ce dernier qui en assura la publication selon "l'ardent désir" exprimé par Dantin. Cette histoire de Fanny est d'inspiration largement autobiographique, mais c'est un roman aux intentions multiples. Ainsi, à l'histoire de Fanny s'ajoutent l'histoire de plusieurs autres personnages; la description de la vie des Noirs à Boston, etc. Par ailleurs, Dantin a écrit ce roman par bribes et à un âge avancé. Toutes choses qui le handicapent et font que son roman vaut surtout par les souvenirs et les confidences de Dantin.

Comme l'oeuvre du poète et du conteur, l'oeuvre de Dantin critique s'étire sur une période de 40 ans, elle aussi coupée de très longs silences. Matériellement, l'oeuvre critique de Dantin se compose d'une demi-douzaine de préfaces et de 223 articles, mais quelque cent quarante de ces articles ne sont guère que des résumés de livres américains, publiés hebdomadairement dans *Le Jour* de Montréal, à partir de 1938. Il s'agissait pour Dantin, maintenant à la retraite, de travaux alimentaires. Le noyau critique de Dantin est donc formé de son étude sur Nelligan et de soixante-quinze articles. Soixante-quatre de ces articles analysent des ouvrages, les autres traitent de questions littéraires générales. La plupart des articles ont été réunis dans les quatre petits volumes de *Poètes de l'Amérique française* et *Gloses critiques*.

Poussé par on ne sait quel démon – au meilleur sens du terme, – Dantin entreprend, en 1900, d'étudier les poèmes de Nelligan récemment entré à la Retraite Saint-Benoît. L'étude, publiée dans *Les Débats*, puis reproduite comme préface à la première édition des oeuvres de Nelligan, a un retentissement considérable: elle est généralement qualifiée "d'admirable", de "magistrale". Pendant longtemps, ce fut cette étude qui fit, à elle seule, la réputation de Dantin. Mais c'était en 1904; il faudra attendre 1920 pour retrouver le pseudonyme de Dantin, au bas d'une critique. Sa réputation ne se démentira pas.

Comment conçoit-il la critique? Pour Dantin, la critique est d'abord au service de l'écrivain. Pour lui, l'oeuvre n'est jamais prétexte à un exercice de style ou à l'exposition plus ou moins brillante de théories littéraires. La critique de Dantin colle à l'oeuvre elle-même, qui est systématiquement, patiemment analysée, fond et forme.

Dantin se demande d'abord ce qu'a voulu faire l'auteur, s'il y est parvenu, avec quel succès. La critique de Dantin est positive. Encore une fois, elle est d'abord au service de l'écrivain. En face des oeuvres imparfaites d'une littérature presque naissante, il estime qu'il faut encourager l'écrivain en lui montrant la part réussie de son oeuvre, mais en l'instruisant aussi, quoiqu'avec doigté, de ses faiblesses, de ses négligences, voire de ses ignorances. Les écrivains qui eurent la chance de voir leurs oeuvres passer sous la loupe de Dantin sentirent tellement le désir qu'avait Dantin de les aider, qu'une vingtaine d'entre eux lui soumirent spontanément leurs manuscrits, réclamant comme une faveur qu'il en fît, avant publication, une critique serrée, impitoyable même. Six d'entre eux, parmi les meilleurs, lui communiquèrent même tous leurs écrits, et Dantin, tel un professeur scrupuleux, lut soigneusement, annota ces oeuvres, pratiquant ce que Robert Choquette appellera "la critique intime". Rosaire Dion-Lévesque fut peut-être celui qui a bénéficié le plus de cette "critique intime" ou "préventive". Le poète, habitant Nashua, était à même de faire fréquemment des visites à Dantin.

Le poète de Nashua avait publié un premier recueil de poèmes en octobre 1928: *En égrenant le chapelet des jours.* Au cours d'une première visite, le 23 novembre 1928, Rosaire Dion demanda à Dantin de faire de ce recueil une critique minutieuse. En juin 1929, Dantin lui retourna le volume. Il était littéralement couvert d'annotations. Une très longue lettre l'accompagnait, dont nous détachons ces quelques phrases.

> Il m'a fallu exprimer l'opinion honnête que vous attendiez de moi. Il est à regretter que personne n'ait usé envers vous de cette franchise critique, avant la publication du volume [...] Cependant, que mes remarques ne vous découragent en aucune manière. Il y a dans votre âme trop de poésie véritable pour qu'elle ne puisse s'exprimer parfaitement un jour, en trouvant un moule qui l'égale.

Dion fréquenta assidûment le critique, jusqu'à la mort de celui-ci. Ses visites furent même presque hebdomadaires pendant plusieurs années. Au cours de ces visites furent, entre autres manuscrits soigneusement revus, celui d'*Oasis,* de *Petite suite marine,* d'une traduction, tout à fait remarquable d'ailleurs, de poèmes de Walt Whitman, le manuscrit enfin de *Vita,* toutes oeuvres de Rosaire

Dion-Lévesque. En avril 1936, Dantin pouvait écrire à Rosaire Dion:

> Je vous ai renvoyé le manuscrit de vos poèmes. Le temps n'est plus où je me croyais tenu de marquer vos pages de ratures... Depuis longtemps vous volez de vos propres ailes et je n'ai plus qu'à suivre vos envolées en spectateur sympathique et intéressé. Je crois que vous atteindrez encore plus de maturité de pensée et de perfection de langue. Mais c'est là une évolution qui se fera d'elle-même, et dont on peut vous laisser le soin...

On peut conclure sans hésitation, que le rôle de mentor assumé par le critique s'étendit peu à peu à toute l'oeuvre du poète, que sa direction fut minutieuse, surtout pendant les premières années, et qu'elle contribua pour une part considérable, à faire avancer son bénéficiaire vers cette maturité et cette perfection qu'il ambitionnait pour lui, et qui, dès avant 1936, étaient déjà assurées, que le guide croyait devoir désormais s'en tenir au rôle de spectateur. Dantin fut aussi amené à donner son avis – plus ou moins sollicité – sur divers problèmes qui se posent à la littérature en général et à la littérature d'ici, plus particulièrement.

Ces questions, c'étaient, entre autres, celle de l'existence d'une littérature d'ici, celle de la langue de cette littérature, celle enfin des rapports de la morale avec l'art. Dantin, tout en ne s'illusionnant pas sur la valeur de nos écrivains, croyait pourtant que nous avions une littérature débutante, sans grande originalité ni éclat encore, mais existant vraiment; qu'il fallait encourager, soutenir dans ses premiers pas. Dantin s'est toujours fortement opposé à toute forme d'éreintement ou de matraquage. Il ne croyait pas que nous dussions avoir un idiome à nous et croyait que notre moyen d'expression devait être le français de France, aussi pur que possible, ne faisant une place aux expressions régionales que là seulement où le genre, le sujet l'exigeait, et là encore, faire preuve de discernement et de discrétion. Pas plus qu'une langue à nous, Dantin n'était partisan d'un cantonnement de notre littérature dans des sujets régionaux. La littérature régionaliste n'était pour lui qu'une province de la littérature. Dantin disait que l'écrivain devait d'abord être lui-même, puiser en lui-même, en cette individualité façonnée par l'expérience d'un milieu particulier, son inspiration, faire passer à travers cette individualité, sa vision du monde. Bref, Dantin demandait à l'écrivain d'être authentique. Enfin, Dantin réclamait pour l'écrivain l'autonomie complète: l'art, selon lui, n'avait de compte à rendre à personne. Ce qui lui valut bien quelques petites polémiques.

La critique de Dantin fut tenue en haute estime de son temps. Claude-Henri Grignon écrira: "Les plus fins critiques du dix-neuvième siècle ressuscitent avec Dantin..." Albert Pelletier dira de son côté que Dantin est "notre meilleur conseiller en littérature, notre premier arbitre". Or, Grignon et Pelletier étaient les deux critiques les plus tenacement opposés à Dantin. Dantin fut certainement le critique de l'entre-deux-guerres le plus utile à la littérature d'ici.

Je conclurai en disant ceci: Louis Dantin a vécu plus de quarante ans en Nouvelle-Angleterre. C'est là qu'il a écrit la quasi-totalité de la meilleure partie de son oeuvre.

Défroqué, il avait dû s'exiler, mais pour la même raison, il vécut en marge de la société et des sociétés franco-américaines. Il n'en avait pas moins une profonde sympathie pour les Franco-Américains; bien plus qu'une profonde sympathie: il reconnaissait en eux des gens de sa race, des siens. Il connaissait bien tous leurs problèmes, et très bien leurs problèmes littéraires. Il savait en particulier les difficultés de l'écrivain franco-américain, et, dans sa critique tant publique "qu'intime", il s'appliqua avec zèle et dévouement à l'aider, chaque fois que l'occasion lui en fut donnée.

Son expérience américaine lui fut bénéfique; elle élargit considérablement son horizon littéraire. De plus, éloigné des cénacles et officines littéraires, il put, avec plus de liberté et d'objectivité, s'appliquer à sa critique.

Les frontières littéraires entre la Nouvelle-Angleterre et le Québec étaient très perméables au temps de Louis Dantin. Lui ne les voyait guère, et si les Québécois le tiennent pour l'un des leurs, les Franco-Américains peuvent aussi le réclamer. L'âme, l'esprit, le coeur si souples, universels, de Louis Dantin agréaient certainement cette vaste appartenance.

Les Franco-Américains et l'institution littéraire québécoise: le cas de Rémi Tremblay

Régis Normandeau

De la même façon qu'on ne peut aborder l'histoire de la Nouvelle-Angleterre au siècle dernier sans relever son rapport avec le Québec, on ne peut étudier la littérature franco-américaine en la coupant de ses liens avec l'institution littéraire québécoise. Il y avait parenté dans la "manière", l'approche moraliste, et dans les thèmes: famille, langue, patrie. Mais là où il y avait divergence, c'était dans l'interprétation à donner à ces termes, c'était dans la largeur du "couloir idéologique".

La littérature franco-américaine a le "privilège"–peu enviable–de recouper deux des catégories que le théoricien français Jacques Dubois distingue parmi les littératures minoritaires. Elle est, premièrement, une littérature proscrite, de "celles qui, tout en s'élaborant dans le champ même de l'institution et en suivant les canaux ordinaires, ont fait l'objet, pour des raisons idéologiques, d'une forme de censure et se sont trouvées exclues des filières de reconnaissance et de consécration"[1]. Evidemment, la raison de la non-reconnaissance est ici le thème de l'émigration, à cause du traitement qui en est fait. Deuxièmement, elle fait partie des littératures régionales, celles qui "[...] se trouvent géographiquement et culturellement coupées des lieux dominants de production-diffusion et éloignées des instances décisives de consécration"[2].

La littérature québécoise jusqu'à *Trente Arpents*, tant romans que nouvelles et poésies, fourmille littéralement d'aventures diverses aux Etats-Unis, et tous ces textes, ou peu s'en faut, aboutissent à une conclusion qu'on renifle à cent kilomètres de distance: l'Amérique est

---

1   Jacques Dubois, *L'institution de la littérature*, Bruxelles, Editions Labor/Fernand Nathan, coll. "Dossiers media", 1983, p. 131.

2 Ibid., p. 131.

une terre de perdition, un récif où vont s'échouer les bonnes âmes canadiennes-françaises. Précisons tout de suite que l'on parle ici de discours majoritaire, car personne aujourd'hui ne peut plus sérieusement, comme on l'a longtemps fait, parler de discours monolithique à propos des courants d'opinions qui ont eu cours dans le Québec d'avant la Révolution tranquille. De cette perception négative, on retrouve même des traces dans plusieurs textes qui n'ont pas de rapport avec cet épisode de l'histoire. C'est comme si l'inconscient collectif percevait l'émigration comme la tare de tout un peuple et tentait de s'en exorciser par l'écriture.

Evidemment, les Franco-Américains ne pouvaient souscrire aux opinions québécoises sous peine de se nier en tant que communauté. Leurs écrits, tant littéraires que journalistiques, déploraient l'émigration, mais ne la condamnaient pas. La nuance est fondamentale pour qui veut bien saisir la situation des émigrés.

La publication en volume de *Jeanne la fileuse* en 1878 illustre bien l'atmosphère dans laquelle baignait toute cette question. Par la position qu'il défendait, à savoir que les émigrés n'étaient pas en aussi mauvaise posture que le discours officiel de l'élite québécoise le laissait entendre, ce livre aurait dû susciter des réactions aussi vives que nombreuses. Pourtant, il n'a eu droit au Québec qu'à une seule véritable critique, celle de Joseph Desrosiers. Il faut ici mettre de côté une mention dans *Le Progrès de Sherbrooke*, qui tient plus de l'annonce publicitaire, et une autre de son ami L.-O. David, parue dans *L'Opinion publique* du 25 avril 1878, qui s'en tient essentiellement à une description de l'oeuvre. Naturellement, la critique de Desrosiers est extrêmement négative et se résume, en gros, à dénoncer le roman comme une incitation à l'émigration. Parlant du tableau positif que Beaugrand dresse de la vie des émigrés en terre américaine, il conclut: "Avec une perspective aussi brillante, nous ne devons plus nous étonner du grand nombre de Canadiens qui émigrent aux Etats-Unis; mais si une chose doit plutôt nous surprendre, c'est que le reste de la population ne se détermine pas à émigrer en masse"[3]. En 1978, dans le *Dictionnaire des oeuvres littéraires du Québec*, Maurice Lemire

---

3 Joseph Desrosiers, "Revue bibliographique. *Jeanne la fileuse. Episode de l'émigration franco-canadienne aux Etats-Unis*", par H. Beaugrand, Fall-River [sic], typographie Fiske et Munroe, 1878", *Revue Canadienne*, XV, 5 mai 1878, p. 404.

reprend sensiblement les mêmes critiques en s'appuyant d'ailleurs sur le texte de Desrosiers. Comme on le voit, les vieux préjugés ont la vie dure; on semble ne pas voir–ou ne pas vouloir voir–que ce roman, malgré ses défauts bien réels, est le meilleur témoin de l'actualité de son temps. Le roman a eu droit à une tardive réhabilitation au Québec en 1980 grâce à l'excellente édition Fides augmentée d'une introduction de Roger Le Moine. Actuellement, la maison Guérin prépare, elle aussi, une édition de *Jeanne la fileuse*. Mais ce ne sont encore là que de bien timides efforts de mise en valeur d'une littérature qui est le produit d'un des épisodes les plus marquants de l'histoire du Québec.

C'est dans ce contexte que nous situerons le problème particulier qui se pose à propos d'un texte de Rémi Tremblay. Ce dernier, il faut le préciser, ne se positionne pas de la même façon que d'autres auteurs face à la réalité franco-américaine. Son oeuvre ne gravite pas autour du point focal que constitue le travail en usine. Mais il n'en demeure pas moins un Franco-Américain, sa collaboration à plusieurs journaux francophones des Etats-Unis en témoigne. C'est d'ailleurs ce qu'a reconnu le *National Materials Development Center* (N.M.D.C.) en publiant son roman *Un revenant*.

Venons-en maintenant au point central de cette intervention. Faisant des investigations à l'intérieur du groupe de recherche **Textes de l'exode** à l'université du Québec à Montréal, nous avons trouvé mention, dans *Chronologie littéraire du Québec* de Sylvie Tellier, d'un roman que Rémi Tremblay aurait publié en 1888 sous le titre *Contre le courant*. Des recherches supplémentaires auprès de différents historiens de la littérature nous réservaient une première surprise de taille: ceux qui mentionnent ce titre – car ils ne le mentionnent pas tous –, donnent 1926 comme date de publication. Et même là, la nature des informations varie d'un auteur à l'autre. Paul P. Chassé, par exemple, dit: "Il meurt [...] en 1926 après avoir terminé son roman"[4]. Richard Santerre, le grand historien de la littérature franco-américaine, écrit en 1974: "L'année de sa mort, il préparait un deuxième roman, *Contre le courant*, inspiré surtout de ses souvenirs

---

4 Paul P. Chassé, *Anthologie de la poésie franco-américaine de la Nouvelle-Angleterre*, [s.l.], *The Rhode Island Bicentennial Commission*, 1976, p. 23.

de voyage"[5]. En 1980, il précise: "Peu avant sa mort, il termina le manuscrit d'un deuxième roman, *Contre le courant*, resté inédit"[6]. De son côté, Rosaire Dion-Lévesque en parle comme d'un troisième roman et comme d'une oeuvre publiée, ce en quoi il n'est pas le seul. Ces quelques exemples suffiraient déjà à montrer la confusion qui entoure ce volume, mais ce n'est pas fini.

Après ce casse-tête, la prochaine étape de la recherche allait nous réserver une autre surprise: le roman est enregistré à la Bibliothèque nationale du Canada en date de l'année 1888, ce qui semble mettre à jour la source bibliographique de Sylvie Tellier, mais ne résout en rien le problème. Car malgré son enregistrement, le volume est introuvable, ne faisant l'objet d'aucune localisation dans les bibliothèques canadiennes ou américaines. Pour ce qui est des Etats-Unis, des vérifications directes à la *Library of Congress* – de visu par Maurice Poteet – et à la *Fall River Public Library* – par le Service de prêt entre bibliothèques de l'UQAM – se sont avérées négatives. A Fall River, nous avons aussi demandé de le rechercher dans le journal *L'Indépendant* de l'année 1888, Mary-Carmel Therriault précisant dans *La littérature française de Nouvelle-Angleterre* qu'il aurait paru en feuilleton dans cette publication, mais ne donnant malheureusement pas de date: ce fut une autre fleur au bouquet des réponses négatives.

Bien sûr, il s'agit là, à un niveau plus général, d'un simple problème de recherche bibliographique. Mais, plus profondément, cette situation illustre encore une fois, s'il en est besoin, la marginalisation qu'a connue la littérature franco-américaine par rapport à sa grande soeur du Québec. D'un problème de reconnaissance et de légitimation comme celui qu'a vécu la littérature franco-américaine, découlent inévitablement ceux de la préservation et de la diffusion des textes. Avant leur publication par le N.M.D.C., la plupart des romans franco-américains étaient difficiles d'accès,

---

5   Richard Robert Santerre, *Le roman franco-américain en Nouvelle-Angleterre, 1878-1943*, Ann Arbor, Michigan, University Microfilms International, 1979, p. 262.

6   Richard Robert Santerre, *Littérature franco-américaine de la Nouvelle-Angleterre. Anthologie*, tome 1, Bedford, [N.H.], *N.M.D.C.* [National Materials Development Center for French], 1980, p. 116.

sinon carrément introuvables au Québec: en 1979, à l'UQAM, Maurice Poteet donnait un cours sur la littérature franco-américaine en se servant de photocopies!

La seule façon d'assurer cette préservation et cette diffusion serait, croyons-nous, de faire participer la littérature franco-américaine à ce vaste mouvement de renouveau de la recherche littéraire qui, depuis plusieurs années, a permis à des genres dits mineurs comme le roman policier et la science-fiction d'acquérir leurs lettres de noblesse et a amené des recherches universitaires très sérieuses sur une littérature aussi décriée que le roman Harlequin.

Il s'agit en fait de sortir la littérature franco-américaine des archives où l'a trop longtemps confinée une critique étroite. Mais, surtout, il faut effectuer la vérification des sources pour éviter que des confusions comme celle relevée ici ne se perpétuent, confusions qui, avec l'accumulation des années, deviennent de plus en plus difficiles à démêler.

Résoudre le problème exposé ici, serait rendre un bel hommage à celui qui, en réponse à la boutade de Georges-Etienne Cartier: "Laissez-les partir, c'est la canaille qui s'en va![7]", a écrit, en une seule phrase, une des plus belles défenses des émigrés. Dans son roman *Un revenant*, il fait dire à son héros Léon Duroc: "Les Canadiens émigrés aux Etats-Unis sont d'honnêtes ouvriers et la canaille se recrute parmi ceux qui les dénigrent"[8]. Un tel avocat mérite mieux que l'incertitude historique...

---

7 Alexandre Belisle, *Histoire de la presse franco-américaine et des Canadiens-Français* [sic] *aux Etats-Unis,* Worcester, Mass., Ateliers typographiques de *L'Opinion publique,* 1911, p. 14.

8 Rémi Tremblay, *Un Revenant. Episode de la guerre de Sécession aux Etats-Unis,* Montréal, *La Patrie,* 1884, p. 430.

Will James, né Ernest Dufault: romancier du *Far West*

Florence Tormey-Blouin

Il est probable que peu de personnes ont entendu parler d'Ernest Dufault. Il a pourtant écrit un grand nombre de romans et produit des centaines de dessins et de tableaux. Mais si on vous demande si vous connaissez Will James, le cow-boy romancier et artiste, vous vous souviendrez sans doute d'avoir lu ses livres dans votre jeunesse et peut-être ces romans ont-ils encore une place sur les rayons de votre bibliothèque. En effet, Ernest Dufault et Will James, le cow-boy légendaire du *Far West,* ne sont qu'une seule et même personne. Pour comprendre comment un tel dédoublement s'est produit, il faut retourner un peu en arrière...

Ernest Dufault naît le 6 juin 1892, dans une famille canadienne-française de St-Nazaire, non loin de St-Hyacinthe, près de Montréal. Son père, Jean-Baptiste, tient un magasin général et sa mère est une femme dévouée et pieuse. Il aime dessiner et, vers l'âge de quatre ans, il étonne sa famille par la justesse de son observation et la qualité de ses dessins de chiens, de chats et de chevaux. Son oncle, Napoléon Dufault, est fermier à St-Nazaire et il n'est pas improbable que le petit Ernest trouve là ses premiers contacts avec les animaux. Il s'attache tout particulièrement au cheval. En parlant de sa toute petite enfance et de son amour pour les chevaux, James dit dans un de ses livres: *"I used to like to fool around his legs and chest, that was as high as I could reach, and feel the muscles under the smooth hide. I guess that's where I received my first lessons in the anatomy of a horse and the reason why I draw horses without ever once sketching one from life"*[1]. Sa tante, Mme Auguste Dufault, nous le décrit enfant: "De caractère plutôt solitaire, il ne recherchait pas la compagnie des enfants de son âge et son plaisir était de se promener seul, en dehors des heures de classe, de dessiner et de lire des livres d'aventure, mais c'est surtout

---

1 *Lone Cowboy, My Life Story.* Charles Scribner's Sons, New York, 1946, p.23.

dans la compagnie des chevaux qu'il était pleinement heureux"[2].

En 1902, lorsqu'Ernest a dix ans, la famille déménage à Montréal où M. Dufault se lance dans plusieurs entreprises infructueuses. C'est vers cette époque qu'Ernest découvre les histoires illustrées des exploits des Indiens et des cow-boys, ces héros du *Far West*. Chez le jeune garçon, c'est un emballement total. Il ne pense désormais qu'aux grands espaces, aux cow-boys forts et libres, aux chevaux magnifiques. Son adolescence est tumultueuse. Mme Dufault nous dit encore: "Il devint irascible, emporté, rien ne l'intéressait; il manquait l'école couramment et se promenait dans les parcs où son père au désespoir le surprit plusieurs fois, tant et si bien qu'il lui trouva une situation comme garçon de table à l'Hôtel Viger"[3]. Quand la famille déménage à nouveau pour s'établir à St-Hyacinthe, Ernest reste en chambre à Montréal. Deux ans plus tard, après la vente à perte de deux hôtels, Jean-Baptiste Dufault revient à la grande ville. Entre temps, cependant, Ernest a nourri ses rêves de liberté grâce aux revues et aux histoires racontées par les voyageurs de tout genre descendus à l'hôtel. En 1908, à la veille de ses 16 ans, Ernest annonce qu'il part pour l'Alberta. Il veut devenir cow-boy, "faire fortune et faire venir là-bas toute sa famille"[4]. Le jeune garçon n'a qu'une partie de son cours primaire, il ne parle pas anglais, il n'a que $10 en poche, et il n'a à peu près pas d'expérience de travail. Ce jeune Canadien français du Québec part vers l'inconnu, avec pour tout bagage son amour des chevaux, sa soif de liberté, son talent de dessinateur et un courage à tout épreuve.

A partir de 1908, la vie d'Ernest Dufault devient une véritable aventure. Lancé dans la réalité du *Western Frontier*, il arrive à se faire embaucher sur des ranches où il commence son apprentissage de cow-boy. Son manque d'expérience et d'anglais lui causent des ennuis, mais il réussit après deux ans à pouvoir partir seul avec un fusil et deux chevaux. Il devient alors un *"drifting cow-boy"*, s'associant pour

---

2 Notes biographiques fournies de façon généreuse par Robert Dufault, Ottawa, Ontario.

3 Ibid.

4 Correspondance entre Auguste Dufault et le Dr Gabriel Nadeau, Bibliothèque Nationale du Québec, Montréal, Québec.

quelques mois seulement à divers *"cattle outfits"* quand l'argent manque, errant d'une région à l'autre, des frontières du Canada et des Etats-Unis jusqu'au Mexique, à travers plaines et montagnes, en toute saison.

Le jeune cow-boy se plaît à maîtriser le maniement du lasso, à monter toutes sortes de bêtes, et surtout, il se fait une solide réputation de dompteur de chevaux sauvages. Il aime les grands espaces, la fraternité des cow-boys, les nuits autour d'un feu de camp, le travail du *roundup*, le marquage au fer, le rodéo. James observe et enregistre tout: l'appareillage du cow-boy, les différences dans les vêtements et leur utilité, les variations dans les coutumes chez les cow-boys du Nord, ceux du Sud, ceux du Mexique. Tout au long de ses déplacements, il laisse partout des dessins: chevaux, *broncobusters*, scènes de la vie du coureur des plaines.

C'est au cours de ces premières années qu'il décide, pour plusieurs raisons, de changer de nom. D'abord, il a eu maille à partir avec la police montée *(Royal Canadian Mounted Police)* en Alberta, à la suite d'un incident dans un bar. Ensuite, il trouve difficile d'avoir à épeler un nom mal compris en anglais, et puis, finalement, il sent qu'il sera mieux accepté si on ne le confond pas avec un métis, peu estimé des Blancs d'alors, ou avec un étranger. James passe définitivement la frontière en laissant derrière lui le nom Ernest Dufault. Mais il change de nom souvent. Il raconte: *"I was glad I changed my name a few times, but sometimes that got sort of confusing... When I'd be signing a bill of sale or something, I come near writing another name than the one I'd just given..."*[5] En plus, il se dit aussi en fuite: *"I never stopped at the ranches either, as I rode by them. The lady of a ranch house would wonder at what a kid like me was doing running around loose in that country. I'd keep quiet and ride on... I had a secret... I kept everything to myself, and asked for no help... I didn't want to answer no questions, I didn't want to talk of Bopy to nobody nor tell why I was drifting alone, or where I was headed"*[6].

Ses rencontres l'amènent à prendre part à des actes plus ou moins illégaux qui vont de l'altération de marques au fer *(branding)* au vol de

---

5 Will James , *op. cit.*, p. 73.

6 Ibid., p. 131.

bétail *(cattle rustling)*. James raconte naïvement ces faits non sans une certaine fierté. Il lui semble maintenant faire partie des aventures risquées et même dangereuses des livres de sa jeunesse. Il écrit: *"I got a big thrill out of doing that...besides, I got to thinking I wasn't really doing any wrong. I wasn't stealing, I was just making it easy for the other feller to do that"*[7]. Ces aventures l'obligent à être toujours en fuite et il n'hésite pas à braver la loi et à s'emparer d'un cheval au besoin. A la suite d'un vol de chevaux plus considérable, il est finalement arrêté en 1914 et passe 18 mois en prison au Nevada. Sorti en 1916, James fait un an de service militaire obligatoire en 1918.

Redevenu civil, il devient *broncobuster* (dompteur de chevaux sauvages) dans des rodéos et se rend éventuellement à Hollywood où il sert de doublure dans les films westerns qui se servent des cow-boys experts comme cascadeurs. Rarement heureux quand il reste en place longtemps, James reprend la route vers la plaine. Pendant toutes ces années, il ne cesse jamais de dessiner. Ses illustrations tapissent les murs des *bunkhouses* et il laisse ses dessins avec des familles qui l'hébergent. De plus en plus décidé de devenir artiste, il se laisse convaincre par ses amis, les Conradts de Reno, de s'inscrire au *California School of Fine Arts* à San Francisco. Mais la vie régulière et sédentaire lui pèse. James laisse les cours après quelques semaines pour travailler à de petits contrats comme illustrateur. C'est pendant cette période que deux dessins sont achetés à $25 pièce par *Sunset Magazine* de San Francisco. Dorénavant, le magazine lui commandera des illustrations de façon régulière. La carrière d'artiste de James est lancée.

Un an plus tard, en 1920, il épouse Alice Conradt, la soeur de son meilleur ami. Elle a 16 ans, James en a 28. Puisque les contrats de *Sunset* ne peuvent pas faire vivre le jeune couple, James accepte de gérer du bétail dans une région isolée. Malgré les contrats qui ne cessent de lui parvenir, il repart quelques mois plus tard s'établir au Nouveau Mexique dans une colonie d'artistes. Là, il rencontre le doyen des étudiants de l'université Yale qui lui offre une bourse d'étude – nouveau déplacement, nouvelle déception. La vie en ville, les cours réguliers, le manque de liberté et d'espace ont vite fait de le décourager. Il quitte après deux semaines et cherche plutôt à placer ses dessins dans les grandes revues de l'Est, mais sans succès. Ses périodes de

---

7 Ibid., p. 185.

dépression augmentent, comme sa consommation d'alcool. Il devient taciturne et irascible.

Revenu au Nevada, il continue à collaborer à *Sunset* et subsiste grâce à divers contrats. Vers 1922, pressé par Alice et ses amis, il soumet un premier article, accompagné d'illustrations, *"Bucking Horses and Bucking Horse Riders"* au *Scribner's Magazine* de New York. A sa grande surprise, l'article est accepté et James reçoit $300. Sa carrière d'écrivain démarre et désormais *Scribner's* acceptera tout ce que James produira. Ses articles illustrés paraissent aussi dans d'autres revues comme *The Saturday Evening Post, The Southwest Review, Ladies' Home Journal, Youth's Companion* et *Red Book Magazine.*

Rassuré par son succès, James écrit de façon régulière, racontant des aventures auxquelles se mêlent ses propres expériences. Il décrit le pays qu'il aime, le pays tel qu'il était avant les changements apportés par le développement de l'agriculture sur une grande échelle et par l'implantation d'industries. Tout ce qu'il produit se vend si bien que James achète une terre de 5 acres où il peut avoir une cabane en bois rond et un petit studio. Un corral et quelques chevaux complètent le tout.

En 1924, *Scribner's* publie un premier livre, *Cowboys North and South,* une collection d'articles et de contes soumis à Sunset et *Scribner's.* C'est un succès immédiat. Sa renommée s'étend et, avec Alice, il fréquente les lancements, les séances d'autographes et les rodéos. Un deuxième volume, *The Drifting Cowboy* sort chez *Scribner's* en 1925 et rencontre autant de succès que le premier. Mais, c'est avec la publication de *Smoky – The Cowhorse* en 1926 que James atteint la gloire. Il est acclamé comme le meilleur écrivain de romans westerns. On lui décerne le *Newbury Prize,* prix accordé au meilleur roman pour les jeunes, et on continue de louer ses illustrations et ses tableaux. Sa célébrité s'étend à travers les Etats-Unis et la vente de son livre lui permet de réaliser son grand rêve: s'acheter une terre de 11,000 acres près de Billings dans le Montana. Son ami, le frère d'Alice, se charge de la construction, de l'aménagement et de l'entretien du ranch et du bétail. Lui, passe des heures à parcourir seul, à cheval, son immense domaine ou à rêver face aux montagnes qu'il aime.

En parlant de cette période, son biographe écrit: *"Reverie was both an inspiration to write and a mental retreat for James. The [ranch], peaceful, isolated–was an escape for him where he could sit on the high bluffs and stare out into the big sky country. He found a deep meaning in the land...8"*

Poussé par son éditeur, James écrit *Lone Cowboy - My Life Story* qui sort en 1930. James prétend y raconter sa vie mais, en fait, il continue à cacher, même à sa femme, ses origines canadiennes-françaises. Pour ne pas être accusé d'imposture et pour ne pas nuire à son succès en révélant qu'il n'est pas le "vrai" cow-boy qu'il se vante d'être depuis si longtemps, James s'invente un lieu de naissance – une tente au beau milieu de la plaine, un père texan et une mère de sang espagnol. Il évite d'indiquer des endroits précis où il aurait travaillé ou voyagé. Qui plus est, comme, depuis son arrivée dans l'Ouest il a souvent été obligé de fournir une explication pour justifier la pauvreté de son anglais et l'accent dont il n'a jamais pu se défaire, James invente un vieux trappeur canadien-français, Jean Beaupré qui l'aurait élevé après la mort de ses parents. Il appelle Bopy, ce vieil ami de son prétendu père. Bien que certains incidents soient probablement exagérés ou même falsifiés, il est intéressant de noter comment James a transposé – en changeant l'année et l'endroit – des scènes que nous savons s'être passées à St-Nazaire ou à Montréal. Quoi qu'il en soit, le récit est accepté comme tel par le public et le livre reçoit un accueil dithyrambique. *Lone Cowboy* devient un *Book of the Month* en 1930 et il est coté parmi les cinq premiers best-sellers aux Etats-Unis pour l'année.

Cependant, plus sa réputation grandit, plus James s'isole. Deux nouveaux romans paraissent en 1931 et un autre en 1932. Il délaisse femme et amis et on le voit de plus en plus souvent ivre. Homme charmant, aimable et sensible à jeun, il devient morose, violent et insupportable quand il boit.

En 1932 le *Paramount Studio* achète les droits de *Lone Cowboy* pendant que le studio *20th Century Fox* achète ceux de *Smoky*. Les deux films sont portés à l'écran en 1934 et ils ont été refaits plusieurs fois depuis.

---

8 Will James, *The Last Cowboy Legend,* Anthony Amaral, University of Nevada Press, Reno, Nevada, 1980, p. 166.

Au cours des années, James revient plusieurs fois voir ses parents au Canada, toujours à l'insu de sa femme et de ses amis. Mais, à mesure que sa renommée s'étend, sa peur d'être découvert augmente. En 1934 il se rend dans sa famille à Ottawa où il fait tout détruire: lettres, dessins, photos qui pourraient témoigner de ses origines. Il demande à ses proches de garder le secret sur son identité, mais il reste en contact avec son frère Auguste. Celui-ci a le soin de leur vieille mère et James s'engage à faire sa part. Auguste Dufault dit à ce sujet: "Ernest avait le culte de sa mère et a toujours tout fait pour essayer de la rendre heureuse au niveau de ses moyens"[9].

Revenu dans le Montana, James poursuit son travail, mais une production intense, jointe aux difficultés financières occasionnées par les dépenses du ranch ont, petit à petit, raison de sa santé. Son mariage se détériore, sa femme retourne à Reno, son ami abandonne le ranch. Obsédé par le poids de son secret, criblé de dettes, James vend sa terre et s'installe à Hollywood pour être plus près des studios. Malgré une vie désordonnée et au moins deux cures de désintoxication, entre 1935 et 1942, James produit 12 nouveaux romans, tous illustrés. Par contre, ses dessins et ses tableaux se vendent à des prix dérisoires ou ils sont simplement laissés chez des amis. En août 1942, épuisé, malade et seul, James est conduit à l'hôpital où il meurt le 3 septembre. Il a cinquante ans. En 18 ans il avait écrit 24 romans et produit un nombre incalculable de dessins et de peintures.

Les livres de Will James, dont les plus populaires se lisent encore aujourd'hui, ont été traduits en plusieurs langues, mais jamais en français. Il est quasi inconnu dans son propre pays. Les membres de sa famille ont cru bon de respecter la consigne de l'écrivain devenu célèbre. Ils ont gardé le secret de son identité afin de ne pas nuire à la vente de ses livres. C'est par hasard qu'un chercheur a découvert, il y a quelques années, que James avait, par distraction, légué tous ses biens à Ernest Dufault. Les preuves que son frère Auguste a dû fournir pour régler la succession ont révélé l'identité réelle de Will James.

Dans les années 30 et 40, l'oeuvre de James répond à un besoin de fuite devant la disparition de la vie libre, sans entraves du *Far West*. Le style est direct et la langue est semée d'expressions pittoresques qui donnent du charme au récit. Les thèmes sont simples: il y a les "bons"

---

9 Auguste Dufault, *op. cit.*

et les "méchants"; le bien et le mal sont incarnés dans des personnages devenus des stéréotypes. L'homme et son cheval ne font qu'un et affrontent ensemble les hostilités de l'homme et de la nature. Les descriptions détaillées de scènes quotidiennes, de coutumes traditionnelles, aujourd'hui disparues, sont encore une source précieuse de renseignements sur la vie dans l'Ouest dans le premier tiers de ce siècle.

La langue dont se sert James dans ses livres a souvent été critiquée. Au fond, il écrit comme il parle, sans se soucier de grammaire ou de structure syntaxique. Sa narration est faite avec le vocabulaire et les expressions dont il se sert réellement et qu'il entend autour de lui. Il a appris l'anglais au cours de ses voyages et il a simplement imité ceux qu'il a rencontrés. Ces imperfections, et particulièrement l'orthographe bizarre, ont été retenues par son éditeur parce que selon lui cela donne de l'authenticité aux romans.

L'intérêt pour l'oeuvre et les tableaux de Will James renaît aujourd'hui grâce à ceux qui ont encore la nostalgie du *Golden West* et qui veulent préserver l'image de ce héros légendaire américain, le cow-boy fort, courageux et libre. Par son amour et sa connaissance profonde de l'Ouest voué à disparaître, par son admiration et son affection pour le cheval de la plaine et son maître, James a largement contribué à façonner le mythe du *American cow-boy* qui a tant séduit le public, surtout les amateurs de westerns.

Comme peintre et illustrateur, on place James aujourd'hui aux côtés de maîtres du genre comme Remington et Russell. Les tableaux de James sont encore exposés dans l'Ouest des Etats-Unis où il est très estimé et où leur valeur ne cesse d'augmenter. La justesse avec laquelle il peint le cheval dénote une connaissance intime de l'animal et de toutes ses réactions. La perfection avec laquelle James montre la structure musculaire et osseuse du cheval au cours de mouvements et d'acrobaties de toutes sortes est d'autant plus étonnante que James n'a à peu près pas reçu de formation artistique formelle. C'est un autodidacte qui a percé, grâce à un sens d'observation hors de l'ordinaire, joint à un travail acharné. Son biographe dit de lui:

As an illustrator, particularly of the horse, James stands supreme. The horse, as the land itself, always inspired a surging emotion in him. He could fully express the power, symmetry, and beauty of the animal. ...Whether in pen and brush and ink, stump

*and charcoal, or in oils, James' talent breathed life into his
horses with lines lucid and honest. His ease and spontaneity in
drawing were a great gift[10].*

Ernest Dufault reste un personnage complexe. Sa vie est tissée d'un
mélange de réalisme et de rêve, de courage et de crainte,
d'enthousiasme et de dépression. Malheureusement, son talent
remarquable et son énorme succès public ne lui ont apporté ni le
bonheur ni la paix. Il a, néanmoins, trouvé l'aventure qu'il cherchait
en s'exilant de son pays et de sa famille.

Bien qu'Ernest Dufault ait passé une grande partie de sa vie aux
Etats-Unis, qu'il se soit déguisé en "Américain" et qu'il ait écrit son
oeuvre en s'obstinant à cacher ses origines canadiennes-françaises,
c'est tout de même un de nos écrivains. Nous ne sommes plus à l'époque
où l'écrivain qui se dit québécois ou d'ascendance québécoise n'a le
"droit" d'invoquer d'autres thèmes que ceux de la famille et de la terre.
On n'exige même plus qu'un écrivain d'origine canadienne-française
écrive uniquement en français. L'inspiration littéraire ne connaît pas
de frontières linguistiques.

Aujourd'hui, d'où qu'il vienne, le Canadien français n'a plus
besoin de changer de nom pour percer dans le monde littéraire,
artistique ou même scientifique et commercial. La personnalité
d'Ernest Dufault, les circonstances dans lesquelles il s'est trouvé et le
milieu social où il a vécu l'ont poussé à adopter une identité qui lui
assurait l'intégration, le succès et l'épanouissement de son talent. On
aurait tort de le lui reprocher. S'il était encore vivant, il n'aurait pas à
faire un tel sacrifice, il ne serait pas obligé de renier une partie de
lui-même.

En fin de compte, ce qu'il faut retenir d'Ernest Dufault ce n'est pas
uniquement la prodigieuse popularité de ses livres et l'importance de
son rôle dans la création de la légende américaine du *Far West*, mais
aussi que ce talent, cette force et cette détermination de réussir ont
pris naissance dans sa famille et dans son pays, tous deux bien
canadiens-français.

---

10 Anthony Amaral, *op. cit.*, p. 167.

Romans de Will James, nom de plume d'Ernest Dufault*

- *Cowboys North and South, 1924*
- *The Drifting Cowboy, 1925*
- *Smoky, the Cowhorse, 1926*
- *Cow Country, 1927*
- *Sand, 1929*
- *Lone Cowboy, My Life Story, 1930*
- *Big Enough, 1931*
- *Sun-Up: Tales of the Cow Camps, 1931*
- *Uncle Bill, a Tale of Two Kids and a Cowboy, 1932*
- *All in the Day's Riding, 1933*
- *The Three Mustangers, 1933*
- *In the Saddle with Uncle Bill, 1935*
- *Young Cowboy, 1935*
- *Home Ranch, 1935*
- *Scorpion, A Good Bad Horse, 1936*
- *Cowboy in the Making, 1937*
- *Look-See with Uncle Bill, 1938*
- *The Will James Cowboy Book, 1938*
- *Flint Spears, Cowboy Rodeo Contestant, 1938*
- *The Dark Horse, 1939*
- *Horses I've Known, 1940*
- *My First Horse, 1940*
- *The American Cowboy, 1942*
- *Book of Cowboy Stories, 1951*

* Tous publiés par Scribner's Sons

Camille Lessard-Bissonnette
A la recherche d'un féminisme franco-américain

Janet-L. Shideler

Le sous-titre de cette étude: "A la recherche d'un féminisme franco-américain", souligne les points fondamentaux qui seront abordés ici: "recherche", "féminisme" et "franco-américain". "A la recherche" indique déjà la tâche difficile, mais nécessaire, qu'est la mise en évidence des messages sociaux – le féminisme parmi d'autres – qui se trouvent dans les oeuvres des Franco-Américains et des Franco-Américaines. Cette mise en évidence est d'autant plus nécessaire qu'on a tendance très souvent à réduire les écrits issus de la communauté franco-américaine à ce que l'on appelle "culture populaire" ou bien "folklore". Ainsi on court le risque de ne jamais découvrir la richesse d'auteurs peu connus, dont Camille Lessard-Bissonnette. Et on n'exagère point en employant le terme "richesse".

Par sa vie et dans son oeuvre, Camille Lessard-Bissonnette représente bien la situation de la Québécoise émigrée en Nouvelle-Angleterre.

Quelle a été la vie de Lessard-Bissonnette? Née en 1883 à Sainte-Julie-de-Mégantic, dans la région des mines d'amiante de la province de Québec, Camille est l'aînée de sept enfants. Elle reçoit son instruction primaire au village de Laurierville et, à l'âge de 16 ans, obtient un brevet élémentaire. Ce diplôme est la preuve de l'ambition de Camille Lessard-Bissonnette, surtout lorsqu'on sait que ses parents sont illettrés. Pendant trois ans, elle enseigne comme institutrice de campagne, mais en 1904 elle abandonne cet emploi pour migrer avec sa famille à Lewiston, Maine, où elle travaille dans les filatures pour quatre ans. C'est pendant cette période, plus précisément en 1906, que Lessard-Bissonnette commence à écrire des contes et des chroniques pour le journal franco-américain *Le Messager* de Lewiston. Elle passe deux ans, vraiment écartelée entre la nécessité de survivre économiquement et de contribuer au budget familial, et le désir, de plus en plus ardent, d'écrire. Elle finit par pouvoir se consacrer plus sérieusement au journalisme en 1908 quand elle devient membre de l'équipe de rédaction du *Messager*. Grâce à elle, le journal aura dorénavant sa page féminine.

Mais en 1912 elle part pour l'Alberta afin d'y rejoindre sa famille prise dans le tourbillon de la colonisation de l'Ouest canadien. Une série d'autres emplois et d'autres déménagements, au Canada et aux Etats-Unis, vont à la fois interrompre et aider sa carrière de journaliste. Par exemple, dans les années trente, tout en travaillant comme agent de colonisation pour un chemin de fer, elle profite des nombreux voyages qu'elle fait pour préparer des chroniques et des récits de voyage qu'elle envoie au *Messager*. Et c'est *Le Messager* qui publiera son roman feuilleton *Canuck* en 1936. En 1938 elle est nommée directrice des pages féminines du journal *La Patrie* de Montréal, mais après deux mois, sa mauvaise santé l'oblige à un retour en Californie. En 1943, à l'âge de soixante ans, elle épouse N.P. Bissonnette, ancien membre de la législature du Connecticut. De la Californie, elle continuera à contribuer des articles à *La Patrie* et au *Messager*. Son mari meurt en 1951 et elle termine ses jours à Long Beach, en Californie, où elle est morte en 1970[1]. Sa vie devient encore plus exceptionnelle si l'on considère qu'elle n'était qu'une "émigrée", une simple "habitante" québécoise. Son oeuvre, comme sa vie, reflète ce mélange extraordinaire de traditionalisme, provenant de ses racines campagnardes, et de féminisme, dû à son expérience urbaine, qui sont souvent la marque des femmes franco-américaines.

Résumons le roman *Canuck*. C'est l'histoire d'une jeune fille, Victoria Labranche qui part de la campagne québécoise en 1900 pour s'installer à Lowell, Massachusetts, avec sa famille: son père, Vital Labranche, sa mère, qu'elle ne nomme pas, ses frères, Maurice et

---

1 Richard Santerre, comp. *Anthologie de la littérature franco-américaine de la Nouvelle-Angleterre*, Tome 8. (Manchester, New Hampshire: National Materials Development Center for French and Creole, 1981), pp. 164a - 164b.

Besson, jumeaux âgés de dix ans, et enfin elle-même, qu'on appelle Vic, personnage principal de l'histoire, âgée de 15 ans et l'aînée de cette famille fictive. Comme la plupart des familles québécoises à cette époque, les Labranche viennent en Nouvelle-Angleterre précisément pour y gagner leur pain. Ce premier fait met en relief l'authenticité sociohistorique et le réalisme franco-américain du récit. Ils ont l'intention de rentrer au pays natal et de payer les hypothèques accumulées sur la terre qu'ils ont perdue. Mais afin de réaliser ce désir, ou plutôt cette obsession, il faut que toute la famille travaille dans les filatures, sauf Besson, qui est maladif. Tout est assez calme pour cette famille au pays d'adoption jusqu'au moment où Vic se révolte contre son père. Elle quitte le foyer paternel, mais continue, néanmoins, à contribuer au budget familial et, sans le dire à personne, à mettre de côté assez d'argent pour faire instruire son frère Maurice. Le petit Besson mourra et la famille repartira pour le Canada laissant derrière elle la jeune fille.

Celle-ci a rencontré Raymond Fénélon, ingénieur minier, qui vient à son secours lors d'une attaque féroce par d'autres jeunes filles, canadiennes-françaises comme elle, qui l'appellent "Canuck", à cause de ses vêtements d'habitante. Raymond est son sauveteur, mais c'est à Jean Guay qu'elle donnera son coeur. Au moment où elle décide enfin de ne plus voir Jean, qu'elle a tant aimé, Vic reçoit un télégramme qui lui annonce la mort imminente de son père. Elle part immédiatement pour le Québec, où elle restera après le décès du patriarche afin de subvenir aux besoins de toute la famille, c'est-à-dire de sa mère, qui ne peut pas exploiter la ferme toute seule, et de son frère, pour lui permettre de continuer ses études au séminaire. Après des années de travail rigoureux, Vic découvre ce qu'elle croit être une mine dans un coin éloigné de la terre familiale. Son ami Raymond vient sur place afin de vérifier la nouvelle fortune de la famille Labranche. Mais ce n'est pas la seule découverte que fait Vic. Elle se rend compte qu'elle aime et qu'elle est aimée de Raymond. Ils s'épousent et partent pour une vie aventureuse en Amérique centrale. Donc, comme on peut le constater, c'est une intrigue assez simple, mais qui contient des germes d'un féminisme particulier.

Regardons d'abord la description que fait l'auteure dès le premier chapitre, des membres de la famille Labranche. Il n'est pas étonnant que même leur physionomie annonce le conflit qui existe entre le père et la jeune fille, premier signe d'un renversement éventuel du patriarche: "Dans un coin une famille de cinq membres se serrait l'un contre l'autre, inquiets, nerveux. Le père, Vital Labranche, un grand brun aux yeux vifs, aux lèvres en lames de couteau qui laissaient pressentir qu'il ne devait pas faire bon lui marcher sur les pieds, pouvait bien avoir 40 ans"[2].

Cet homme, "aux lèvres en lames de couteau", est déjà l'adversaire. Notons que même la couleur de ses cheveux – brune plutôt que blonde – suggère sa nature méchante selon l'imagerie traditionnelle.

Puis vient la description de Mme Labranche: "La mère, petite blonde frêle aux grands yeux doux et rêveurs, à l'air craintif de l'animal qui s'attend d'être égorgé à tout instant, pouvait bien n'avoir que l'âge de son mari mais elle en paraissait 50"[3]. Elle est décrite comme étant une victime,vieillie par les épreuves, tout à fait sans recours et sans défense.

L'auteure fait ensuite la description de la fille aînée, l'héroïne de ce roman:

> Victoria (qu'on apppelait Vic) était une fillette de 15 ans, longue et mince comme une flûte, aux yeux profonds comme la nuit, aux longues tresses noires comme l'aile d'un corbeau, aux doigts effilés d'artiste qui semblaient comme perdus attachés à ce corps de petite paysanne non dégrossie[4].

Notons déjà comment Vic se distingue du stéréotype de l'héroïne. Elle n'est ni blonde ni fragile, synonymes de féminité, toujours selon l'imagerie traditionnelle. Mais, d'après l'auteur, "... elle aurait été jolie si elle avait été habillée autrement"[5].

---

2 Camille Lessard, *Canuck* (Lewiston, Maine: *Le Messager*, 1936; nouvelle édition, Durham, New Hampshire: National Materials Development Center for French and Creole, 1980), p. 2.

3 Ibid.

4 Ibid, p. 3.

5 Ibid.

Les vêtements font-ils la femme, oui ou non? Cette écrivaine – je vais me permettre de féminiser ce mot puisqu'il s'agit de féminisme – répond carrément "non"! car elle ajoute, "Mais sous une robe qui annonçait la misère et le mauvais goût dûs au manque de sous, son jeune corps bien formé se dressait en une attitude de défi à la vie"[6]. Notons que c'est le corps entier – un corps féminin – qui se dresse en une attitude de défi à la vie. C'est tout son corps qui "parle", qui nous fait pressentir le tempérament de Vic. Voilà déjà un aspect féministe de ce texte. Puis, la narratrice omnisciente conclut ainsi son portrait de l'héroïne: "Un fin observateur aurait pu déchiffrer une bravade sur ses lèvres et une révolte dans ses yeux indiquant qu'il devait être difficile de la mener à la boucherie, celle-là"[7]. Cette dernière image tout en étant un peu "lourde", souligne, néanmoins, le fait que l'auteure, comme la plupart des émigrés canadiens-français, était d'une famille de cultivateurs. Dans ce sens, cette description de Vic l'unit à une collectivité tout en lui donnant une personnalité individuelle.

Mais, passons maintenant aux bessons: "Maurice, 10 ans, joli garçonnet blond aux yeux rêveurs comme ceux de sa mère, aux traits fins et à la mine éveillée, se tenait tout contre Vic comme s'il avait senti que d'elle viendrait la plus sûre compréhension et protection"[8]. Et voici la description du dernier Labranche:

> Besson, le jumeau de Maurice, dont une pleurésie mal soignée avait sapé les os et les poumons de façon à en faire un pauvre être tordu et bossu, était recroquevillé sur le banc, sa tête pâle et maigre reposant sur les genoux de sa mère. Ses yeux ouverts, grands à dévorer, un angélique petit visage blanc comme la cire, indiquaient qu'il ne dormait pas mais qu'il était à bout de forces[9].

---

6 Ibid.

7 Ibid.

8 Ibid.

9 Ibid.

Cette description complète le portrait des personnages **principaux** du roman. La narratrice a réparti ses personnages en trois camps: l'ennemi, le père; les victimes, la mère et les fils; la protectrice, la fille Vic.

Besson n'est pas un personnage important dans le roman. Il meurt peu après le début du récit. Néanmoins, je constate deux justifications pour sa présence dans le récit, aussi courte qu'elle soit. D'abord, c'est sa mort qui provoque une sorte de réconciliation entre le père et sa fille, mais qui déclenche surtout la transformation de Vital Labranche. Voilà un rebondissement important pour le roman feuilleton: le temps presse, nous sommes tous mortels, il faut que nous examinions nos coeurs et nos consciences. Ensuite, la présence d'un petit être, si faible, parmi les autres si vivants, représente un rappel frappant de la misère et de la mort qui hantent ce peuple, même transplanté sur un sol étranger. Malgré la glorification de la vie agricole, leitmotiv de la littérature québécoise traditionnelle – Lessard aussi va nous offrir un portrait joyeux de la campagne québécoise – une réalité sociale est présente dans ces premières pages. C'est la pauvreté, et non pas le goût du luxe ou de l'aventure, qui force le départ de tant de milliers de gens vers la frontière canado-américaine. Dans ce sens, tous les émigrants – les Labranche ainsi que tous les autres qui arrivent à Lowell ou Woonsocket ou Manchester ou Lewiston – sont tous victimes de l'injustice matérielle. Lessard, qui note bien la différence des rôles selon le sexe, les regroupe tous – homme, femme, enfants – dans une même pénurie qui rend nécessaire le départ de tout un peuple, uni dans la misère.

> Hommes avec gros sacs sous le bras, paquetons sur le dos, valises gonflées à la main, jeunes filles traînant des enfants par le poignet, femmes portant des bébés rechigneux dans leurs bras, tout ce monde, – comme un troupeau se dirigeant vers le même but...[10]

Pour ces Canadiens français – d'où encore l'authenticité du récit – ce "même but", c'est de trouver une vie meilleure au pays de l'Oncle Sam. Ces gens, qui partagent un passé commun, se quittent à la gare de Lowell, comme dans tant d'autres gares de la Nouvelle-Angleterre, à la recherche d'un avenir inconnu. C'est donc vers une autre solidarité

---

10 Ibid., p. 1.

que Lessard fixe maintenant les yeux en parlant plus précisément de la famille Labranche.

On a déjà mentionné l'établissement dans le texte de cette tension: victimes, au pluriel, *versus* oppresseur, au singulier. L'oppresseur, c'est le père Labranche, qui représente la structure patriarcale de la société québécoise. C'est ainsi que l'on peut voir dans la révolte de Vic une rébellion contre la tyrannie de toute une société. Cette exploitation des moins forts, une cruauté vécue par sa mère, par son frère et par Vic elle-même, est fustigée par l'héroïne dans l'épisode suivant. Trois ans après l'installation de la famille à Lowell, Labranche se met en colère contre Maurice qui a changé de filature et, en ce faisant, a perdu une demi-journée de salaire. A ce moment vraiment décisif dans l'intrigue, comme dans la vie de Vic, celle-ci intervient, devant la menace d'une punition physique de Maurice, pour le protéger contre le père enragé: "Ose toucher à Maurice ce soir, et ma chambre sera vide demain"[11]. Labranche lui répond sur le même ton, "...quand même que tu as 18 ans, j'ai encore des droits sur toi![12]" C'est alors que Vic, ne pouvant plus se contenir, déclare,

Oui, tu as des droits sur moi," réplique Vic, perdant toute réserve et tout respect, "mais je te défie de les faire valoir, ces mêmes droits! Fais-moi revenir par la police et moi, de mon côté, je te ferai prendre ma place toute chaude, dans la patrouille! N'oublie pas que tu as commis un acte criminel en forçant Maurice à travailler aux fabriques alors que tu aurais dû l'envoyer à l'école! Tu l'as fait passer pour 15 ans afin d'exploiter la santé, les sueurs et le sang de cet enfant, à ton profit[13]!

Voici, s'il en fallait, encore plus d'évidence de la façon dont Vital Labranche symbolise l'oppression et l'asservissement soufferts par certains Québécois aux mains de leurs oppresseurs, de ceux qui profitent d'eux, fussent-ils leur propre père:

---

11 Ibid., p. 25.

12 Ibid.

13 Ibid.

Tu peux ruiner l'avenir et la santé de Maurice... tu peux faire mourir Besson plus rapidement en nous forçant à rester dans un trou de façon à le priver d'air pur et de soleil, afin de grossir ton livre de banque!... tu peux continuer à faire un martyre de la vie de ma mère[14]!..

Vic commence alors à décrire sa vie, comme celle de sa mère... la vie qu'elles ont toutes les deux vécues sur leur terre au Québec. Il ne s'agit ici ni de nostalgie, ni de glorification de la vie agricole. Il s'agit plutôt d'exploitation et parfois même de brutalité:

Le travail dans les champs et aux écuries c'était maman qui le faisait et moi, quand je fus devenue assez grande, et je n'étais pas bien vieille!... Toi, pendant ce temps, tu te promenais en boghey ou en carriole, tu jouais aux cartes, tu bambochais!.... Quand tu revenais à la maison, si on n'avait pas réussi à tout faire les gros travaux c'étaient des scènes d'enfer!... Tu as même osé, dans un de ces moments, frapper maman parce qu'une clôture n'avait pu être réparée et que les animaux avaient passé chez le voisin!... Frapper maman! qui vaut plus dans son petit doigt que toi, dans toute ta personne[15]!..

Comme on décrira plus tard le rapport mère-fille, revenons pour le moment à Maurice et à son rapport avec sa grande soeur Vic. C'est Vic qui, par son labeur assidu, assurera l'instruction de son frère. Et, de façon très concrète, c'est Vic et sa mère qui se chargent de l'instruction première de Maurice, étant donné que son père, en l'envoyant au travail, le prive d'aller à l'école. Comme Maurice veut devenir prêtre, on peut aussi suggérer que Labranche est aussi un obstacle à la foi, tandis que les deux femmes en sont les gardiennes, autre rôle traditionnel des femmes. Ce qui est aussi traditionnel, c'est qu'une soeur sacrifiera son argent et la possibilité de s'instruire elle-même afin d'assurer l'avenir et le bonheur de son frère. Mais, mêlé à ce traditionalisme, il y a un féminisme évident dans le fait que les deux femmes trouvent le moyen de contourner les décisions prises par l'autorité paternelle.

---

14 Ibid., pp. 25-26.

15 Ibid., p. 26.

Notons toutefois que, tout en rejetant la figure du père, et refusant ainsi le patriarcat québécois encouragé par l'Eglise catholique, Vic fait d'énormes sacrifices pour que son frère puisse un jour faire partie de cette même structure patriarcale. Maurice et Vic souffrent tous les deux, mais en tant qu'homme, c'est Maurice qui pourra grimper l'échelle sociale et faire partie de ce groupe de chefs masculins. Mais c'est Vic, la femme, qui assurera son ascension.

A la mort du père Labranche, Maurice décide d'abandonner ses études. Il restera sur la ferme pour aider sa mère à cultiver la terre. Vic refuse ce sacrifice de la part de son frère. C'est elle qui, selon la narratrice, "...se mit au collier avec la même vaillance qu'elle avait montrée dans les autres circonstances difficiles de sa vie"[16]. Maurice est ému par cet acte de dévouement total. La narratrice décrit ainsi ce qui se passe entre eux:

> Maurice, avec le même geste qu'il avait lorsqu'il était tout petit et que son coeur crevait, alla s'agenouiller aux pieds de Vic et posa son front sur ses genoux en pleurant. La jeune fille, impulsivement, comme en une bénédiction inconsciente, plaça sa main sur la tête blonde courbée à ses côtés, puis, surmontant son émotion, elle releva le front du jeune homme et plaisanta: "Tu viens de me donner un bien mauvais exemple! Un jour ce sera moi qui serai à tes pieds, M. l'abbé![17]"

Ainsi, c'est d'une femme que vient le maintien de la foi ou, plus précisément, que viennent les moyens nécessaires pour que Maurice puisse devenir curé afin de faire valoir la foi. Le fait que la narratrice note la générosité traditionnellement attribuée à la femme, tout en soulignant l'impossibilité pour elle de grimper l'échelle sociale est très significatif, mais cela reste caché derrière un portrait émouvant d'amour fraternel. La subtilité du message de ce passage cèdera bientôt place à un féminisme beaucoup moins déguisé.

Examinons maintenant la caractérisation de la mère et, par la suite, le rapport mère-fille. Signalons d'abord que la mère Labranche n'a pas de nom – on l'appelle soit Mme Labranche ou bien "sa mère",

---

16 Ibid., p. 69.

17 Ibid., p. 69.

"ma mère", "sa femme", etc. Elle n'est identifiée que par son rapport à quelqu'un d'autre; elle n'a droit qu'à l'adjectif possessif pour souligner sa situation vis-à-vis des autres. Que sait-on de cette femme? On apprend qu'elle avait été autrefois institutrice de campagne. Et, puisque Maurice étudie les livres de classe de sa mère, on sait qu'elle garde des souvenirs de son passé, abandonné afin d'épouser Vital Labranche. Donc, c'est une femme instruite, qui a peut-être même été ambitieuse autrefois. Et voilà l'héritage qu'elle peut offrir à sa fille unique: "Voyez-vous [dit Vic] maman étant une petite institutrice de campagne, nous a communiqué son goût pour les livres. Si j'avais les moyens je donnerais tous mes loisirs à l'étude. Il n'y a que cela qui m'intéresse"[18]. Cette nature sérieuse et ambitieuse léguée à sa fille aboutit, non pour Mme Labranche, mais pour Vic, à des promotions au travail: "...elle se donna au travail et à l'étude avec plus d'ardeur que jamais. Elle abandonna sa position comme 'passeuse en lames' pour entrer dans une fabrique de chaussures où, grâce à son habileté, son salaire fut doublé en peu de temps"[19].

Outre l'aspect physique de Mme Labranche, présenté au début du roman, la narratrice nous offre un détail significatif en ce qui concerne son habillement. Un des plus ardents désirs de Vic est d'acheter une nouvelle robe noire à sa mère. C'est ainsi que l'on apprend en même temps une coutume intéressante: "Elle [Vic] trouvera bien le moyen d'acheter une robe noire à sa mère qui, comme toutes les paysannes canadiennes de l'époque, ne portait que du noir. C'était la coutume qu'en se mariant une jeune fille devait renoncer à porter des couleurs voyantes, claires et gaies"[20].

Il faut dire, cependant, que l'aspect le plus frappant du personnage de Mme Labranche, c'est son silence à peu près absolu. Par exemple, un léger soupir constitue un des rares bruits à sortir de sa bouche: "Son père est bien parti et elle entend soupirer sa mère"[21]. Et aussi: "Aussitôt qu'il [le père] était sorti, la mère et la fille, sans se regarder,

---

18 Ibid., p. 37.

19 Ibid., p. 36.

20 Ibid., pp. 29-30.

21 Ibid., p. 26-27.

avaient un soupir de soulagement: elles étaient sûres de quelques heures de paix"[22]. Notons que pendant ces moments de silence, les deux femmes – mère et fille – sont ensembles. Ce soupir – et on peut en citer d'autres exemples – parle fort éloquemment de la tyrannie masculine dont elles sont toutes les deux victimes, d'où leur solidarité féminine. Mais leurs réponses à la misère de leur condition sont très différentes. Le silence, le soupir et les larmes de la mère témoignent d'une impossibilité d'agir. Par contraste, Vic, devant sa vie lamentable, PARLE d'abord – voir la confrontation entre le père et la fille que l'on vient d'examiner – et ensuite elle AGIT, quittant le foyer paternel afin de s'éloigner de la tyrannie du père. Mais n'oublions pas que, de son nouveau domicile, où – selon ses propres mots,"...il n'y a pas d'hommes dans la maison pour... rendre la vie misérable![23]" – elle continue à aider sa mère. Même l'éloignement n'empêche pas la communication entre les deux femmes. Ni homme, ni distance ne peuvent entraver la solidarité entre la mère et la fille. Un des rares moments où la mère murmure quelques mots sera pour dire à Vic: "Mon Dieu, comme il est haut Ton calvaire, pour moi![24]" Si c'est un sentiment de culpabilité qui passe par les lèvres tremblantes de la mère, c'est parce qu'elle reconnaît le legs de la tyrannie masculine qu'elle transmet à sa fille.

Louise Bernikow, dans son livre *Among Women* exprime très éloquemment ce qui pouvait être le but de Lessard dans ce roman où elle raconte la triste histoire de sa mère:

> The daughters have taken it upon themselves to tell the story of mothers and daughters, partly to break the silence of the mothers and partly to stand against the primacy of the father in our lives, in culture and in history. In becoming archaeologists of the world of our mothers, we are trying to retrieve the female past and to invent a future[25].

---

22 Ibid., p. 11.

23 Ibid., p. 27.

24 Ibid., p. 27.

25 Louis Bernikow, *Among Women*, (New York: Harper & Row, 1980), p. 46. "Les filles ont pris sur elles de raconter l'histoire des mères et des filles, en partie pour briser le silence des mères et en partie pour s'insurger contre la

Cette récupération du passé et cette invention de l'avenir sont nécessaires, même quand le père est réduit au silence. Notons que, lors de la dernière maladie de Vital Labranche, la narratrice remarque, "...il ne peut pas parler"[26]. Il ne peut que pleurer. Voilà le vrai moment d'émancipation pour Vic: l'autorité paternelle ne pouvant plus parler, n'est plus en mesure de tyranniser les femmes. Mais on constate qu'il s'agit de la libération de Vic seulement. Malgré une solidarité clairement établie entre la mère et la fille, une distanciation s'affirme entre elles, due à leur génération, mais qu'on peut aussi attribuer au fait que Vic a pu gagner sa vie, grâce à l'émigration vers les Etats-Unis.

On peut avancer que si Vic était restée sur la ferme québécoise, son émancipation n'aurait probablement pas eu lieu. La vie agricole au Québec, qui représente les racines de Vic, comme celles de la plupart des femmes émigrées du Canada français, était un mode de vie très dur qui nécessitait la contribution des femmes et des filles aux travaux des champs. En même temps, la maternité régnait comme destin presque inévitable des femmes. L'Eglise l'exigeait; la communauté la désirait. Sinon, comment assurer la survivance d'un peuple sans pouvoir et sans défense?

En dépit du fait que les Québécois ont transporté avec eux la structure paroissiale du Québec dans les "Petits Canadas" de la Nouvelle-Angleterre – et, ce faisant, ont ainsi, jusqu'à un certain point, reconstitué au pays d'adoption la société abandonnée – ils ont aussi réussi à s'éloigner des exigences et des devoirs communautaires. Pour employer une allusion tout à fait littéraire et tout à fait québécoise, si Vic ne ressemble guère à Maria Chapdelaine, c'est qu'elle est assez loin pour ne plus entendre les "voix"! Une fois installés outre-frontière, les émigrés se sont adaptés à de nouvelles valeurs, à une nouvelle réalité: le fondement même des centres manufacturiers de la Nouvelle-Angleterre n'est pas la communauté, mais plutôt l'individu. Leur exemple renforce cette réalité qu'en tant qu'individu, on peut tout faire, tout réaliser. Pour y arriver, on n'a qu'à travailler et, comme on vient de le dire, la Québécoise était habituée au

---

primauté du père dans nos vies, dans la culture et dans l'histoire. En devenant les archéologues du monde de nos mères, nous tentons de récupérer le passé féminin et d'inventer un avenir."

26 *Canuck*, p. 67.

travail. Notons, toutefois, que son travail à l'usine ne la libérait point des travaux ménagers. Lessard décrit la journée d'une Franco-Américaine ainsi en parlant de Vic et de sa mère:

> Labranche et sa femme eurent chacun un "set" de métiers dans la même section, de sorte que Vital put pousser dans les reins de son épouse pour que son travail fût plus parfait, de façon à ce que les enveloppes de paye fussent plus gonflées. Elle ne se révolta pas car sa vie c'était la vie des femmes paysannes de son pays. Elle allait comme l'animal sous le joug, sentant bien les coups de fouet du maître, mais ne faisant aucun effort pour s'y soustraire[27].

Puis, la narration continue, montrant que la journée de travail de Mme Labranche et de Vic n'était pas finie à la sortie de l'usine. "Pendant que Labranche et Maurice se débarbouillaient, à tour de rôle, dans un bassin placé dans l'évier, Vic et sa mère sortaient les marmites de viandes, de ragoûts, de fricassées, ou de soupes cuits la veille au soir"[28]. Puis: "Le repas terminé, pendant que Vic et sa mère emportaient les plats, Labranche enlevait ses chaussures pour se reposer les pieds...[29]" Et, dernier détail: "Maurice, son souper pris, se mettait le nez dans ses livres... Tantôt sa mère et tantôt Vic lui faisaient réciter des leçons et résoudre des problèmes"[30].

Quel était donc l'avantage pour la Québécoise d'émigrer aux Etats-Unis? Une partie au moins de son travail journalier est salariée et c'est cette rémunération qui permet aux jeunes filles comme Vic d'aider leurs parents à joindre les deux bouts – oui! mais aussi de poursuivre leurs propres vies, moins contrôlées par les contraintes familiales.

Il faut tout de même noter qu'une main-d'oeuvre féminine existe dans les milieux urbains du Québec à cette époque, plus précisément à

---

27 Ibid., pp. 6-7.

28 Ibid., p. 10.

29 Ibid., p. 11.

30 Ibid., p. 11.

Montréal. Entre 1901 et 1915, années qui marquent le début des efforts littéraires de Lessard, les femmes constituent 58% des employés du textile à Montréal. La plupart d'entre elles sont de jeunes filles non mariées – le travail des femmes mariées étant toujours mal vu, bien que de plus en plus nécessaire[31]. Mais quoique l'urbanisation et la prolétarisation des Québécoises soient des faits, les propagandistes québécois – n'oublions pas que ce sont des hommes – peignent une image particulière, et de plus en plus anachronique, de la femme québécoise. C'est toujours un être destiné à devenir mère, dévouée corps et âme à son époux, à ses enfants, et à ses tâches domestiques. Dans les domaines politique et syndicaliste – les deux étant intrinsèquement liés à l'Eglise – l'effort pour perpétuer cette image est souligné en 1935. Un an avant la parution de *Canuck*, la Confédération des travailleurs catholiques du Canada déclare:

Attendu que l'une des causes principales du chômage est le développement exagéré du travail féminin, le congrès demande à la législation provinciale de restreindre à de justes proportions l'emploi de la main d'oeuvre féminine [...] et spécialement en commençant par le congédiement des femmes mariées[32].

Et au Québec rural, les épouses des cultivateurs font leur part, elles aussi, pour perpétuer le mythe de la femme, mère et épouse parfaite. Même à l'époque du roman *Canuck*, les Cercles de fermières, fondés pour rassembler les femmes rurales, travaillent sans relâche au but, déclaré quelques années auparavant: "Attacher la femme [notons le choix des mots] à son foyer en lui rendant agréable et facile l'accomplissement de ses devoirs d'épouse, d'éducatrice et de ménagère"[33]. L'image qui fait de l'accomplissement de ses devoirs un acte sacré – et donc de la femme qui s'en charge une véritable sainte – est l'image que Vic laisse derrière elle en partant, à l'âge de 34 ans, avec

31 Marie Lavigne et Jennifer Stoddart, "Ouvrières et travailleuses montréalaises, 1900-1940", dans *Travailleuses et féministes*. éds. Marie Lavigne et Yolande Pinard (Montréal: Boréal Express, 1983), p. 103.

32 Ibid., p. 111.

33 Ghislaine Desjardins, "Les Cercles de fermières et l'action féminine en milieu rural, 1915-1944", dans *Travailleuses et féministes*, éds. Marie Lavigne et Yolande Pinard (Montréal: Boréal Express, 1983), p. 225.

son nouveau mari pour l'Amérique Centrale, sans aucune allusion à la maternité comme destin.

Mais pour conclure et pour sortir de la fiction, c'est la même image que Lessard laisse derrière elle en quittant la réalité d'un Québec pauvre et opprimé. Le fait que des milliers de femmes québécoises partirent avec elle pour travailler dans les usines de la Nouvelle-Angleterre garde presque intacte cette image, peut-être très belle, mais peu réaliste, de la Québécoise. Malgré la crise démographique que représente leur départ, on peut entendre soupirer les propagandistes devant cette émigration massive. C'est ce même départ, cet exode si vous voulez, qui rend possible la création d'une nouvelle image de la Québécoise, de celle qui est maintenant installée dans les "Petits Canadas" du Nord-Est américain. C'est l'image d'une femme restée, tout de même assez traditionnelle, mais elle est très fière, un peu rebelle et elle se trouve sur le seuil de la revendication féministe.

La littérature franco-américaine dans un Petit Canada de la Nouvelle-Angleterre: Holyoke, Massachusetts

Ernest-B. Guillet

Le mouvement d'émigration des Canadiens français vers Holyoke débute dans les années 1850; dès 1869, il a déjà pris d'importantes proportions. A la fin du siècle, Holyoke était déjà un haut lieu de vie canadienne-française en Nouvelle-Angleterre. Les Franco-Américains ont prospéré dans ce milieu industriel et urbain tout en étant résolus de maintenir leur langue maternelle et leur culture.

Holyoke peut s'enorgueillir d'avoir été le berceau de seize publications de langue française[1]. *La Justice* est son journal le plus remarquable, ayant servi Holyoke et les communautés environnantes pendant plus d'un demi-siècle, de 1904 à 1964. En publiant des feuilletons, en ouvrant leurs colonnes à la poésie et au théâtre, les journaux ont joué un rôle prépondérant dans la création d'une littérature franco-américaine.

Un survol de la vie et de l'oeuvre de quelques auteurs de Holyoke nous permettra de mieux apprécier leur apport personnel à la vie culturelle de cette ville.

EMMA DUMAS (1857-1926)

Emma Dumas naît à St-Jean Port-Joli. Voilà pourquoi elle choisira plus tard sa ville natale comme nom de plume. La romancière signera ses écrits **Emma Port-Joli**.

Après avoir terminé ses études, en 1874, à l'Ecole normale des Dames Ursulines de Québec, Marie Emma Dumas se rend à Holyoke.

---

1 Maxime-O. Frenière, *La Justice,* le 26 septembre 1934.

Là, elle deviendra la présidente-fondatrice du Conseil Oliva #242 de l'Union Saint-Jean-Baptiste d'Amérique, ainsi nommé en hommage à un prêtre défunt à qui Emma vouait un grand respect. Trésorière du Cercle littéraire de Holyoke, elle sera aussi la co-fondatrice du "Bureau de Phonétique" avec Louis Tesson et le comte de Taillac, tous deux originaires de France. Avec Tesson, journaliste et romancier aussi bien que professeur, Dumas contribuera à l'élaboration et à la publication d'une nouvelle méthode d'enseignement des langues étrangères. Ce cours complet, publié sous forme de brochure, s'intitulait *La Méthode rationnelle et naturelle*. Le but du Bureau de Phonétique était d'alphabétiser les illettrés et d'améliorer la langue parlée des gens. Les commissions américaines de naturalisation s'intéressent à ce "Bureau de Phonétique" dont la méthode s'adresse aussi bien à l'enseignement de l'anglais que du français. Emma Dumas elle-même enseigne des cours de français, organisés pour ceux qui désirent parler un français plus pur.

Mais la contribution par excellence d'Emma Dumas à la littérature franco-américaine de Holyoke est son roman *Mirbah*, publié en mai 1910. Holyoke comptait alors 17,000 Franco-Américains pour une population totale de 52,000. Cette ville, devenue le plus grand centre américain de fabrication de papier, avait reçu le surnom de "la métropole du papier". L'importance de cette industrie dépassait largement celle des soieries aussi bien que celle des usines de coton et de fil[2].

Déjà, à l'époque, on comptait 2,050 enfants dans les écoles paroissiales franco-américaines de la ville. En 1902, les Franco-Américains s'étaient dotés du Monument National, vaste immeuble à trois étages avec salles de conférence pour abriter les nombreuses société locales et servir de point de ralliement aux grandes manifestations. C'est ce milieu canadien-français dynamique qui forme l'arrière-plan du roman *Mirbah*. Après la publication des dix premiers fascicules de *Mirbah*, en mai 1910, six autres parurent chaque mois, de juin à novembre 1910. Les deux tranches suivantes parurent en mars et en avril 1911, tandis que la dixième et dernière livraison se fit attendre jusqu'en 1912. Cette irrégularité s'explique par le fait que l'auteur faisait paraître son oeuvre à ses propres frais, publiée sur beau papier avec illustrations. L'auteur fut aussi obligée de

---

2 *La Justice*, Holyoke, Massachusetts, le 11 décembre 1913.

faire sa propre publicité. *La Justice* n'annonça même pas la parution de cette oeuvre littéraire locale.

Une intrigue compliquée et tortueuse sert de cadre à l'auteur qui se plaît à décrire la vie franco-américaine de Holyoke. Le but principal de l'auteur semble être de donner l'histoire des débuts de la colonie franco-américaine de la ville, surtout de décrire les premières années de la paroisse du Précieux-Sang et du terrible incendie de 1875. La description de ce sinistre remplit 57 pages du roman. L'auteur fait revivre l'ambiance de l'événement, qui causa la mort de 71 personnes, en introduisant le lecteur dans les foyers où les affligés racontent leur peine. Elle va même jusqu'à insérer le texte complet des sermons prononcés lors des funérailles.

Le roman est profondément franco-américain par son contenu. Il décrit de façon détaillée les moeurs ethniques de Holyoke tout en nous donnant des aperçus sur les goûts musicaux et dramatiques de l'époque. Les immigrés avaient un goût prononcé pour la chanson et la musique. A l'école, les religieuses enseignaient les chansons du folklore québécois et, dans les filatures, les ouvrières chantaient les dernières ballades. Les éléments de la vie ouvrière franco-américaine et le souci d'employer l'histoire locale comme thème font de *Mirbah*, à la fois, un roman de moeurs aussi bien qu'un roman historique. L'auteur aurait d'ailleurs mieux réussi si elle avait écrit deux romans différents. *Mirbah* est aussi un roman d'immigration. L'auteur y décrit des voyages fréquents au Canada. Les personnages principaux: Dorval, Marie Louise Bertrand et Amélie Rodier correspondent avec les membres de leur famille qui y sont restés.

Les meilleures scènes du roman sont celles où l'auteure décrit la vie quotidienne des gens. Tout le reste est tant soit peu extravagant. L'intrigue y est tellement contournée que le lecteur n'arrive pas à en déchiffrer les éléments trop divers et mal ficelés. Malgré tout, *Mirbah* contient tous les éléments nécessaires pour constituer un bon roman régional. Ce roman compte surtout par la valeur de son contenu historique et culturel même si le but principal de l'auteure semble avoir été d'écrire un livre de divertissement littéraire.

LOUIS TESSON (1853-1928)

Si l'on s'en tient à une définition restreinte de l'appellation – romancier franco-américain – Louis Tesson, né en France, en serait exclu. Néanmoins, ses contributions à la vie culturelle de Holyoke méritent d'être mentionnées dans le cadre de cette étude. Tesson est né à Saintes en Charente-Maritime, le 6 mai 1853. Il sera à la fois le co-fondateur de *La Presse*, un journal de langue française de Holyoke et, en sa qualité de linguiste, l'auteur de *La Méthode rationnelle et naturelle*, une nouvelle méthode d'enseignement d'une langue étrangère, écrite en collaboration avec Emma Dumas.

Pour augmenter ses revenus, il crée quatre éditions de son journal en dehors de Holyoke – pour les villes de Waterbury et de Norwich dans le Connecticut, Fitchburg dans le Massachusetts et Somersworth dans le New Hampshire. Lorsque l'entreprise prend de l'ampleur, il fait appel à Joseph Bellemare avec qui il fonde *La Presse Publishing Company*. Un an après, Tesson déménage à Marlborough, Massachusetts, pour s'occuper du journal local *L'Estafette*. Il avait passé sept ans à Holyoke. Tout comme Ducharme, ses préoccupations administratives et les multiples détails de publication ne lui avaient pas permis de s'adonner entièrement à la littérature. Toutefois, sans compter de nombreux articles, il publie trois romans: *Un Amour sous le frimas*, *Le Sang Noir* et *Une Idylle acadienne*. Il écrit également *Céleste*, une nouvelle axée sur les coutumes canadiennes. Après un court séjour à Marlborough, Tesson devient professeur au Boston School of Foreign Languages. Il publie alors *La Méthode rationnelle et naturelle*, sa théorie linguistique originale. Il établit aussi "La Ligue internationale de l'enseignement oral des langues vivantes". La présence active de Tesson dans la ville de Holyoke, pendant un certain nombre d'années, a beaucoup enrichi la scène littéraire de langue française dans cette ville.

JOSEPH LUSSIER (1867-1957)

Joseph Lussier, né le 18 mars 1867 à St-Mathias, au Québec, fréquente le séminaire de Sainte-Marie de Monnoir près de son village natal. Son talent d'écrivain l'attire vers le journalisme. Il quitte donc le Canada pour s'installer à Holyoke où il va se tailler une réputation enviable dans l'histoire du journalisme franco-américain.

Propriétaire et rédacteur de *La Justice*, de 1909 à 1940, Lussier est un exemple de ces hommes voués, contre vents et marées, et jusqu'à la mort, à l'idéologie de la survivance malgré les prédictions les plus pessimistes. Son talent ne se limite pas au journalisme. Lussier est aussi l'auteur de plus de cent poèmes qu'il signe de son pseudonyme "Némo". Parmi son oeuvre poétique se trouve *Silhouettes*, une "plaquette-souvenir" qui se veut un hommage à ses collègues, comme lui, journalistes de langue française aux Etats-Unis et membres de l'Alliance des journaux franco-américains.

Voici un exemple d'un de ses poèmes où il croque sur le vif la personnalité d'Adolphe Robert, le président-général d'une société franco-américaine de secours mutuel, l'Association canado-américaine, et le rédacteur de la revue de l'association, *Le Canado*.

> Robert étant né journaliste
> Ne peut déjouer son destin;
> Bien qu'aujourd'hui mutualiste
> Sa plume court soir et matin.
>
> Il est pour défendre la race
> Toujours prêt à croiser le fer;
> Si par hasard quelqu'un menace
> Il le poursuit jusqu'en enfer[3].

Gabriel Crevier, un autre poète de Holyoke, décrit l'oeuvre poétique de Lussier comme étant "une poésie de circonstance". Ses poèmes solennisent les événements culturels, les fêtes et les saisons religieuses. L'aspect spirituel de l'existence humaine est un thème qui revient souvent sous sa plume. Dans "J'ai Voulu", Némo admet que son véritable destin était celui de journaliste et non pas celui de poète comme il avait rêvé de l'être dans sa jeunesse.

J'ai Voulu

> Tout petit, j'ai voulu
> Etre un humble poète
> Chantant de l'Absolu
> La quiétude parfaite.

---

3 Joseph Lussier, *Silhouettes* par Némo, Holyoke, Massachusetts, *La Justice Publishing Co.*, 1946, p.17.

> Le destin a changé
> Ma vieille destinée
> Et plutôt m'a chargé
> D'une tâche animée.
>
> Au flot sec du journal
> Il faut que je m'abreuve
> Et du Prote Infernal
> Je corrige l'épreuve![4]

Son départ de *La Justice*, à l'âge de 73 ans, lui donne plus de temps pour se consacrer à la poésie. Auparavant, sa préoccupation majeure, dans ses premiers poèmes comme dans sa rubrique "Coups de plume", avait été le maintien du patrimoine culturel québécois, Il se concentre maintenant sur le thème de la mort et de l'au-delà au cours des années où il est en convalescence au presbytère de son fils, M. l'abbé Joseph Lussier. Dans "Ma Jeunesse", il se remémore sa jeunesse et les gens qui la rendirent heureuse:

> Maintenant ces êtres sublimes
> Sont disparus depuis longtemps;
> Au sommet des célestes cimes
> Ils vivent l'éternel printemps[5].

Dans une lettre au médecin, collectionneur-archiviste Gabriel Nadeau, Lussier avoue l'influence de Boileau, de Louis Fréchette et de Louis Dantin sur ses écrits poétiques.

Le 17 novembre 1957, Lussier qui, dans "Le Chant du Cygne" avait écrit:

> Je vais bientôt fermer le livre de ma vie!
> Comme le nautonier qui s'approche du port

ferme le livre de sa vie à North Adams, Massachusetts, à l'ombre du magnifique Mont *Greylock* dans les *Berkshires*. L'épitaphe, qu'il a lui-

---

4 Manuscrit de la Collection Joseph Lussier. Propriété de M. Paul-P. Chassé, Somersworth, N.H.

5 Ibid.

même composé, montre bien comment il voulait qu'on se souvienne de lui:

> Ci-gît Némo le vieux lutteur
> Qui pour les siens donna son coeur
> Jusqu'aux portes du cimetière[6].

Sur une note plus révélatrice de la tendresse de l'auteur, la notice nécrologique de Gabriel Nadeau sur Lussier insiste sur l'amour que celui-ci vouait à sa femme, décédée avant lui:

> ... les yeux de M. Lussier ne voyaient plus rien; il ne voyait plus que des souvenirs de sa chère épouse qui avait quitté ce monde il y a déjà plusieurs années. Il y pensait continuellement. Ses plus beaux sonnets furent inspirés par cette regrettée disparue. En effet, les dernières paroles que j'entendis tomber de ses lèvres furent à l'adresse de celle qu'il est allé rejoindre dans la tombe[7].

GABRIEL CREVIER (1908-   )

Né au Canada, le 20 mars 1908, Gabriel Crevier - connu sous le nom de plume de "Désormeaux" par les lecteurs de *La Justice* - a quinze ans quand sa famille s'installe aux Etats-Unis. Ecrivain prolifique, Gabriel Crevier contribue de façon régulière à *La Justice* de Holyoke ainsi qu'à d'autres journaux de langue française, y compris *La Presse* de Montréal, à partir de 1932. En 1960, il se trouve à Woonsocket, siège social de l'Union St-Jean-Baptiste d'Amérique. Là, il remplit les fonctions de Directeur des relations publiques, de secrétaire général et de rédacteur de *L'Union*, la revue de cette société de secours mutuel pour les Franco-Américains.

Croyant fermement que nul n'est prophète en son propre pays, Crevier préfère écrire sous le pseudonyme de "Désormeaux". Dans une interview, il déclare: "Dès qu'on vous connaît, on n'est plus objectif." Il

---

6 Ibid.

7 *Le Travailleur*, Worcester, Massachusetts, le 17 novembre 1957.

choisit le nom "Désormeaux", celui du héro canadien, Dollard, en raison de son amour pour l'histoire et parce que le nom "avait une belle sonorité et il était sobre"[8].

Tout comme Tesson, Lussier, et Ducharme comme nous le verrons, Crevier voulait devenir le directeur de son propre journal franco-américain. A la fin de l'année 1940, il démissionne de *La Justice* pour devenir le fondateur de *L'Avenir* à Southbridge dans le Massachusetts. On lui doit d'avoir fait connaître les Franco-Américains éminents grâce à sa colonne "Silhouettes" dans ce journal. Cette idée allait inspirer plus tard le poète Rosaire Dion-Lévesque à en faire autant dans une série d'articles pour *La Presse* de Montréal, réunis plus tard en volume[9].

Gabriel Crevier définit sa théorie poétique dans "Simple Aveu":

> Pour le poète, ainsi la nature est un livre:
> chaque objet l'y poursuit de sa révélation.
> Sous l'exquise blessure, au contact il vous livre
> son coeur et sa chanson [10].

Le poète développe cette idée dans une interview: "La nature est un livre dans lequel on cherche la strophe pure; parfois il faut fouetter l'imagination. Les auteurs que j'aime surtout sont Hugo, Lamartine, mais mon poète favori est Rostand parce qu'il écrivait avec beaucoup de soin." Crevier, qui admet qu'adolescent "je jouais à faire des vers", ajoute, "le poète... chasse la strophe harmonieuse dans laquelle il fera passer le plus cher de lui-même...[11]" L'inspiration vient quand le poète s'y attend le moins. Selon Crevier, la différence entre le versificateur et le poète est la suivante: "Chez le poète, il y a musique, couleur dans

---

8 Interview avec Gabriel Crevier à Woonsocket, Rhode Island, le 8 juillet 1976.

9 Rosaire Dion-Lévesque, *Silhouettes*. Manchester, N.H. Publications de l'Association canado-américaine, 1957.

10 Collection privée du poète.

11 Interview, le 8 juillet 1976.

la phrase et une richesse de fond"[12].

Son village natal, St-François-du-Lac, est pour Crevier, tout comme St-Mathias pour Lussier, une source d'inspiration poétique. L'amour que voue "Désormeaux" à la nature est évident dans quelques-uns de ses poèmes tels "Le crépuscule", "Les feuilles d'automne", "Parfum de mai". "La Neige", mis à notre disposition pour cette étude par la soeur du poète, Cécile Crevier Barthello de Holyoke, met en évidence les traits caractéristiques de ce poète: simplicité, amour du détail, délicatesse du sentiment.

> Il neige et devant nous s'étend la plaine blanche
> Que borne un horizon aux farouches contours.
> De gros flocons mousseux tombent en avalanche:
> Un vol de papillons fuyant un ciel trop lourd.
>
> Il neige. Lentement par toute la nature
> Se tisse sans arrêt un immense linceul.
> Et toute voix se meurt; jusqu'au bruit des voitures.
> Lorsqu'il neige, chacun se sent un peu plus seul.
>
> Car le givre et le froid semblent défier la vie
> Et lorsque leur étreinte engourdit l'univers
> Tous les vieillards frileux songent avec envie
> A des climats plus doux, aux pays sans hivers.
>
> Pourtant, si l'on conçoit que cette paraffine,
> Qui fait de notre sol un paysage blanc,
> Nous apporte en secret cette substance fine
> Dont la terre a besoin pour féconder son flanc.
>
> Lorsque l'on a pu voir dévaler sur nos pentes
> En skis, saupoudrant l'air de châtoyants cristaux,
> Une jeunesse fière et que la vie enchante,
> En laquelle on a mis ses espoirs les plus beaux.
> Alors on te bénit, neige consolatrice,
> De cacher sous les plis de ton souple édredon
> Les laideurs dont la terre offre la cicatrice.
> Ton effet sur notre âme est doux comme un pardon.

---

12 Ibid.

JACQUES DUCHARME (1910-   )

Ducharme, né à Holyoke et prénommé Armand, publie *The Delusson Family* en 1939. Ce roman de 301 pages, écrit en anglais, marque un tournant significatif dans l'évolution du roman franco-américain. Comme le juge Albéric Archambault, de West Warwick dans le Rhode Island, auteur de *Mill Village*, Ducharme ressent le besoin de décrire la vie franco-américaine pour ses concitoyens anglo-américains. Cette tendance allait se poursuivre sous la plume d'auteurs comme Gerard Robichaud, Jack Kerouac et Robert Cormier, pour ne nommer que ceux-là, dans le but d'atteindre un public plus large. Ducharme publiera également *The Shadows of the Trees*, une étude de 258 pages sur les Canadiens français en Nouvelle-Angleterre.

En 1940, Ducharme, qui avait acquis une expérience journalistique en tant que collaborateur indépendant au *Worcester Evening Post*, devient le propriétaire et le rédacteur de *La Justice*. Durant les quatorze mois qu'il dirige *La Justice*, Ducharme suit le même format de base que son prédécesseur, Joseph Lussier. Ce dernier continuait d'ailleurs à contribuer des articles et des poèmes de façon régulière. Comme rédacteur, l'une des innovations de Ducharme est d'utiliser des journalistes comme Lussier ou le poète Gabriel Crevier qui habitait Holyoke. La colonne de ce dernier, "La Vie Courante" est très appréciée par les lecteurs du journal. La gestion du journal laisse peu de temps à Ducharme pour se consacrer à l'écriture. Devant l'impossibilité d'équilibrer le budget, à cause d'une baisse constante dans le tirage, Ducharme est obligé de vendre *La Justice* dès l'année suivante. Roméo-D. Raymond, journaliste, traducteur, typographe et collaborateur de Joseph Lussier depuis de longues années, en devient le nouveau propriétaire. Le journal paraîtra jusqu'à la mort de Raymond. Les enfants de ce dernier ne pouvant, à leur regret, en assurer la publication, le dernier numéro sera celui du 13 janvier 1964.

On se souvient de Ducharme principalement pour *The Delusson Family*, sa plus grande contribution à la littérature franco-américaine. Ducharme avait choisi le nom Delusson comme patronyme fictif de la famille Ducharme de Holyoke parce que les Ducharme étaient originaires de Luçon en Vendée. La trame du roman n'est autre que l'histoire de sa famille paternelle; les faits principaux sont véridiques bien que les noms aient été changés.

Le roman s'ouvre le 18 juillet 1874, date à laquelle Jean-Baptiste Delusson, alors âgé de 37 ans, arrive à la gare ferroviaire de Holyoke, après avoir quitté St-Valérien, son village natal. Il espère commencer une vie nouvelle sur le sol américain pour assurer l'avenir de sa jeune famille. Delusson, un Canadien français que le travail n'effraie pas, est un père de famille honnête, un homme paisible et de bon jugement qui ne s'est décidé à émigrer de son Québec natal qu'après trois années de réflexion. Jean-Baptiste part seul pour les Etats-Unis. Sa femme Cécile et les enfants suivront lorsque Jean-Baptiste aura trouvé du travail pour lui et un logement pour eux.

Tout au long de la narration, Ducharme utilise la technique d'expliquer la vie franco-américaine à ses lecteurs. Il met l'accent sur l'importance de l'Eglise catholique dans la vie des Franco-Américains. La religion est décrite comme étant le moyeu d'une roue autour duquel gravite ce peuple. Ce sont les prescriptions de la morale chrétienne qui règlent le comportement des immigrés. Ducharme affirme aussi dans ce livre l'honneur que représente pour une famille franco-américaine le fait d'avoir un fils ou une fille appelé à une vocation religieuse. Avoir un fils prêtre est la preuve que l'on a été une mère et un père chrétiens exemplaires. Les écoles paroissiales entretiennent de leur côté l'intérêt des enfants pour la vie religieuse. La tradition est le mot clef en ce qui concerne la vie sociale et les coutumes. Les enfants sont un don de la Providence. Cela rend le travail plus facile de penser qu'on l'accomplit pour leur bien. Avoir une famille nombreuse stabilise le mariage, est la source de l'indépendance financière et le summum de l'accomplissement.

Il est également intéressant de noter qu'au fur et à mesure que les Franco-Américains de Holyoke s'élèvent dans l'échelle sociale, ils se déplacent sur le plan géographique en s'installant plus haut, sur la colline. Les gens vivant au bas de la pente, dans le quartier communément appelé *The Flats*, sont la risée des autres groupes ethniques ainsi que de leurs compatriotes franco-américains. Les enfants Delusson sont donc fiers de pouvoir enfin aménager dans la *Maple Street*, rue alors à la mode, de sorte qu'ils peuvent dire à présent qu'ils habitent sur *The Hill.*

Ducharme insère habituellement un commentaire personnel dans sa narration après avoir développé un événement de son intrigue fictive. Ainsi la vocation de Léopold, l'intérêt de Pierre pour Anne Dulhut, l'achat de l'immeuble "en haut de la côte", la maison à Granby, la Société Saint-Louis, la mort de Jean-Baptiste, sont tous longuement commentés par l'auteur. Cette technique fait du roman de Ducharme une mine de faits intéressants sur la culture et les traditions franco-américaines. En tant que membre du clan Delusson, proéminent en ce temps-là dans la ville de Holyoke, Ducharme sait de quoi il parle lorsqu'il se réfère à ses origines et à des faits socioculturels. Presque toutes les facettes de la vie canadienne-française de cette ville sont soumises à l'examen minutieux de l'auteur. Dans leur phase d'adaptation à la vie de Holyoke, les enfants Delusson sentent qu'ils sont considérés comme une race à part; on les appelle les *"Frenchies"*, les *"Canucks"* parce qu'ils parlent mal anglais. Ils sentent qu'ils ne sont point reconnus comme étant des Américains. Pourtant, ils ne peuvent plus vivre au sein de la communauté américaine comme des Canadiens.

Le roman décrit le lien étroit qui existe entre la religion, la langue, et le travail dans la famille canadienne-française. La langue française est conservée à l'école paroissiale et au sein de la paroisse, ainsi que dans la famille. Delusson envoie même son fils Léopold au Canada afin qu'il puisse se préparer au sacerdoce dans une atmosphère française. Quand celui-ci revient pour les vacances, les autres membres de la famille se rendent alors compte à quel point leur français est de plus en plus envahi par des expressions anglaises. Les forces assimilatrices du milieu s'exercent sur la famille Delusson, tout comme sur tant d'autres, dans ce Petit Canada. Toutefois, la famille continue à résister; elle maintient ses traditions et sa cohésion familiale. La famille soutient l'individu dans son travail et l'individu se sacrifie pour sa famille.

The Delusson Family est une excellente introduction pour le néophyte en études franco-américaines. Le roman est révélateur pour tout lecteur désireux de se renseigner sur l'histoire d'une famille d'immigrants transplantée dans un milieu industriel urbain. Ce livre fournit aussi des renseignements intéressants pour le Franco-Américain désireux d'en savoir plus long sur l'évolution de la culture franco-américaine à Holyoke et même en Nouvelle-Angleterre. *Mirbah* et *The Delusson Family* contribuent tous deux à une plus grande connaissance des Franco-Américains et de leur mode de vie. *Mirbah* fait un tour d'horizon détaillé de la période initiale de l'immigration. *The Delusson Family*, tout en se concentrant sur une seule famille, offre, néanmoins, un tableau général des coutumes et des traditions franco-américaines. Ecrit en anglais, ce roman est aussi plus accessible à un large public. Ces deux oeuvres sont de précieux documents sur la vie culturelle de la communauté ethnique franco-américaine, non seulement de Holyoke, mais de toute la Nouvelle-Angleterre.

Tout ce qui précède n'est qu'un aperçu de la richesse qui se trouve dans l'oeuvre de ces auteurs divers. Ces écrivains investirent le meilleur d'eux-mêmes dans la vie socioculturelle de la communauté franco-américaine de Holyoke, tout en ne perdant point leur attachement pour le Canada et la France. En ce faisant, ils ont largement contribué à rehausser la vie culturelle des émigrants franco-américains.

La ville de Holyoke peut s'enorgueillir de ses écrivains ethniques: Dumas, Tesson, Lussier, Crevier et Ducharme qui ont doté cette ville d'écrits en langue française, faisant ainsi de ce Petit Canada de la Nouvelle-Angleterre un centre culturel franco-américain particulièrement riche du point de vue littéraire.

BIBLIOGRAPHIE

LIVRES

Belisle, Alexandre, *Histoire de la presse franco-américaine et des Canadiens-Français aux Etats-Unis*. Worcester: Ateliers typographiques de *L'Opinion Publique*, 1911.

Chassé, Paul-P. *Anthologie de la poésie franco-américaine de la Nouvelle-Angleterre*. The Rhode Island Bicentennial Commission, 1976.

Dion-Levesque, Rosaire, *Silhouettes franco-américaines*. Manchester, N.H.: L'Association Canado-Américaine, 1957.

Ducharme, Jacques, *The Delusson Family*. New York and London: Funk and Wagnalls Company, 1939.

Ducharme, Jacques, *Shadows of the Trees: The Story of French Canadians in New England*. New York: Harper and Brother, 1943.

Dumas, Emma, *Mirbah*. Holyoke, Mass: La Justice Publishing Co., 1910-12.

Gautier, Joseph Delphis, *Le Canada Français et le Roman Américain 1829-1948*. Paris: Tolra Editeurs, 1948.

Guillet, Ernest-B. *French Ethnic Literature and Culture in an American City: Holyoke, Massachusetts*. Thèse de doctorat, University of Massachusetts. Ann Arbor, Michigan: University Microfilms, 1978.

_____ *Essai de Journalisme*, Bedford, N.H.: National Materials Development Center, 1981.

Santerre, Richard, *Le Roman Franco-Américain en Nouvelle-Angleterre*, Thèse de doctorat, Boston College. Ann Arbor, Michigan: University Microfilms, 1979.

ARCHIVES, DOCUMENTS ET MANUSCRITS

Archives de l'Union Saint-Jean Baptiste d'Amérique. Woonsocket, R.I.

Boston Public Library. Journaux de langue française en Nouvelle-Angleterre, sur microfilm.

Archives de l'Ecole normale des Ursulines, Québec, QC.

Office of the City Clerk, Holyoke, Massachusetts.

Collection Nadeau, Bibliothèque Nationale du Québec. Dossier 29.

Collection Lussier. Paul-P. Chassé, Somersworth, N.H.

Collection privée. Gabriel Crevier, Woonsocket, R.I.

JOURNAUX

The Daily Graphic, An Illustrated Daily Newspaper, New York.

Le Courrier, Holyoke, Massachusetts.

Le Défenseur, Holyoke, Massachusetts.

La Justice, Holyoke, Massachusetts.

Holyoke Chronicle

Holyoke Transcript

La Presse, Holyoke, Massachusetts.

Le Travailleur, Worcester, Massachusetts

ARTICLES

Nadeau, Gabriel, "La Littérature Franco-Américaine - Conditions de sa naissance et de son développement", *Le Canado-Américain*, Vol. VII, No. 56, 15 fév. - 15 mars 1944, pp. 3-5.

Tesson, Louis, "L'Enseignement des Langues", *L'Ecrin Littéraire*, I, No. 5, 22 janvier 1893, pp. 35-36.

Tesson, Louis, "Méthode pour l'enseignement des langues vivantes", *L'Ecrin Littéraire*, I. No. 6, 15 jan. 1893, pp. 42-43; I No. 7, 15 janvier 1893, pp. 51-52.

Tesson, Louis, "Réforme des programmes d'études pour les langues vivantes", *L'Ecrin Littéraire*, I, No. 8, 22 janvier 1893.

Anon. "M. Louis Tesson", *Le Monde Illustré*, 9, 28 janvier 1893.

INTERVIEWS ET CORRESPONDANCE

Boucher, Soeur Marcelle. Archiviste, Ecole Normale des Dames Ursulines, Québec, le 31 août 1977.

Courcy, Louise, Secrétaire-générale. Union Saint-Jean-Baptiste, Woonsocket, R.I., le 11 septembre 1976 et le 23 mars 1978.

Crevier, Gabriel. Interviews 3-8 juillet 1976. Woonsocket, R.I.

Ducharme, Jacques. Interview, Stratford, Conn., le 24 août 1976.

Alice LeBoeuf. Pseu. "Pervenche", fille de Joseph Lussier. Lettres des 22 avril 1977, 10 juin 1977, 2 août 1977, 12 mars 1978.

Nadeau, Gabriel, M.D. Interview, Holden, Mass., le 8 juillet 1976.

Survol de la poésie franco-américaine

Claire Quintal

La poésie franco-américaine est l'oeuvre d'écrivains appartenant à cette partie de la population canadienne-française qui, de 1850 à 1930 environ, a émigré, du Québec surtout, pour s'installer aux Etats-Unis. Ce texte n'étudie que le groupe le plus nombreux parmi ces émigrés, ceux qui se sont installés en Nouvelle-Angleterre.

Plusieurs des écrivains sur lesquels porte cette étude sont nés au Québec, et les autres y seraient nés si cette province n'avait perdu des centaines de milliers de ses fils et de ses filles à partir du milieu du 19e siècle. Cette poésie doit donc être considérée comme étant une branche de l'arbre littéraire du Québec.

Le cultivateur migrant ne se constitue pas poète du jour au lendemain. Ses enfants, toutefois, peuvent aspirer à le devenir. Par contre, le journaliste, le prêtre, ou le médecin qui émigre, ayant déjà fait des études, peut – dès son arrivée dans une terre adoptive – commencer à écrire. Il peut, soit alimenter les colonnes d'un journal de langue française avec le produit de sa plume; soit tenter de rehausser la ferveur de ses ouailles par des poèmes où sont exprimées ses convictions morales, alimentées par sa foi profonde; soit prendre un plaisir de dilettante à faire des vers le soir après ses visites aux malades – ou même au chevet de ses malades – comme ce fut le cas du **Dr Joseph-Amédée Girouard**:

> Je les ai faits, vais-je le dire?
> Le plus souvent étant épris
> De pitié devant un délire,
> Un mal aigu, parfois des cris.
> "Au lecteur" (1909)

De son côté, le **Dr Georges-Alphonse Boucher** rimait au chevet des femmes sur le point d'accoucher[1].

Plus d'une douzaine d'écrivains ont ainsi publié des vers. Parmi eux, il y avait cinq médecins, six journalistes, trois prêtres et même une femme, tous nés au Québec, entre 1847 et 1875, la plupart d'entre eux dans la décennie des années 60[2]. Ils virent le jour à un moment où le Québec lui-même venait au monde comme pays ayant une littérature distincte[3].

Nous qualifierons cette première génération d'écrivains comme étant des Franco-Américains par adoption. On peut néanmoins affirmer que leur oeuvre appartient au corpus de la littérature franco-américaine, soit parce que leur oeuvre poétique a été écrite aux Etats-Unis, après un séjour prolongé dans ce pays, soit parce qu'elle est

1 "Accoucheur recherché, je n'eus qu'à me féliciter, ... de cette infiltration de la poésie dans ma pratique. Pendant que j'attendais au chevet de mes patientes, je lâchais la bride à mon imagination et je rêvais, méditais, rimais, ce qui était une agréable et fructueuse manière en vérité de tuer le temps. Georges-A. Boucher, M.D., Introduction à la 2e édition (refondue et augmentée) *Chants du Nouveau Monde*, p. 13.

2 Rémi Tremblay (1847-1926), Journaliste
Louis-Alphonse Nolin (1849-1936), Prêtre
François-Xavier Burque (1851-1923), Prêtre
Joseph Thériault (1860-1938), Médecin
Anna-Marie Duval-Thibault (1862-1951), Journaliste
Georges-Alphonse Boucher (1865-1956), Médecin
Charles-Roger Daoust (1865-1924), Journaliste
Joseph-Amédée Girouard (1865-1931), Médecin
Joseph-Hormidas Roy (1865-1931), Médecin
Joseph Lussier (1867-1957), Journaliste-avocat
Joseph-Arthur Smith (1869-1960), Journaliste
Henri d'Arles (nom de plume de Henri Beaudet (1870-1930), Prêtre
Eugène Brault (1871-1936), Journaliste
Philippe Sainte-Marie (1875-1931), Médecin

3 "Le renouveau littéraire qui se faisait remarquer vers 1860 au Canada français n'a cessé depuis d'attirer l'attention des historiens des lettres canadiennes." David M. Hayne, "La poésie romantique au Canada français (1860-1890)", *La poésie canadienne-française*, Archives des Lettres canadiennes, tome IV (Montréal: Fides, 1969), p. 51.

directement inspirée par une expérience vécue, authentiquement américaine. C'est le cas du poème de Rémi Tremblay intitulé "Le Drapeau du 14e", du nom du régiment d'infanterie du Massachusetts dans lequel s'était enrôlé le premier en date des poètes franco-américains, lors de la Guerre de Sécession américaine[4].

Aux Etats-Unis, ces poètes ont vécu au milieu de leurs compatriotes émigrés, dans l'une ou l'autre des nombreuses villes manufacturières de la Nouvelle-Angleterre: Fall River, Brockton, Holyoke, Springfield et Lowell, Massachusetts; Woonsocket, Rhode Island; Manchester et Concord, New Hampshire; Lewiston, Maine; et, dans le cas d'un des prêtres parmi eux, à Fort Kent dans le Madawaska américain de l'Etat du Maine[5].

Quels ont été les thèmes abordés par ces auteurs pour exprimer leur coeur – et l'âme de tout un peuple francophone vivant dorénavant en pays anglo-protestant? Ils ont choisi de rimer sur les thèmes chers aux poètes de tous les temps et de tous les pays: l'amour, la nature, la mort, la foi, la patrie – ces sujets universels ont tour à tour été mis en vers par eux. Ont-ils traité ces thèmes avec originalité? Ils ont, pour la plupart, cultivé la Muse avec application, plutôt que de façon géniale. Par contre, pour ce qui est du thème de la patrie, ils ont eu l'avantage de pouvoir chanter trois pays: la France, le Canada et les Etats-Unis, ce que plusieurs n'ont pas manqué de faire. Ecoutons **Rémi Tremblay**, dans un poème intitulé "A mes compatriotes émigrés", fouetter la fierté des Franco-Américains dans les strophes 9 et 10 d'un poème qui en contient 18:

> Depuis le jour fatal des adieux à la France!
> Jean-Baptiste a prêté maint serment d'allégeance;

---

4 Rémi Tremblay (1847-1926) a vécu aux Etats-Unis à partir de l'âge de 13 ans. Il a fait la Guerre de Sécession qui a inspiré son poème, "Le Drapeau du 14e" et un roman – *Un Revenant* – dont le sous-titre est *Episode de la Guerre de Sécession aux Etats-Unis* (1884). Après la guerre, il est rentré au Québec. Il serait, par la suite, journaliste en Nouvelle-Angleterre pendant deux brèves périodes de sa vie, de 1885 à 1886, et de 1893 à 1894. C'est d'ailleurs en 1893 qu'il a publié à Fall River, le quatrième de ses cinq volumes de poésie.

5 Ces renseignements biographiques sur les auteurs cités proviennent de la série de neuf volumes intitulés *Anthologie,* ayant comme sous-titre *Littérature franco-américaine de la Nouvelle-Angleterre* par Richard Santerre.

L'école du malheur

Le força d'accepter plus d'un joug de rencontre;
Mais, sous tous les climats, l'histoire nous le montre
    Au poste de l'honneur.

Sa franche loyauté ne ferme pas son âme
Aux tendres souvenirs. Elle active la flamme
    Du culte des aïeux:
C'est en se rappelant la vaillance française
Qu'il s'élance sans peur dans l'ardente fournaise
    Des combats glorieux.

De son côté, Georges-A. Boucher, dans son recueil intitulé *Chants du Nouveau Monde* (1946), chantera la France meurtrie par la guerre, le courage des soldats américains pendant la Deuxième guerre mondiale – il les appelle des "preux" – et la gloire du Québec. Ce poème de 613 vers comprend VIII parties:

Salut, Salut! ô ville incomparable,
Dont rien n'a pu ternir
En mon âme le souvenir,
Et dont l'image inaltérable,
Après trente ans d'exil, éveille dans mon coeur
Le même émoi vainqueur.
                    "Ode à Québec"

La dédicace de ce recueil indique clairement à quel point le poète se voit résolument comme un chantre du Nouveau Monde:

A toi, cher Nouveau Monde, ému je les dédie.

La commémoration tous les ans de la Saint-Jean-Baptiste, le 24 juin, donnait l'occasion aux poètes de rappeler à leurs concitoyens vivant aux Etats-Unis, les gloires et les défaites du passé canadien-français pour les aider à mieux supporter un présent plutôt terne. Ainsi, **Joseph-Amédée Girouard**, dans un poème publié à Lewiston, Maine, en 1909, chantera le courage des aïeux, et l'importance de garder vivace leur souvenir, afin de croire à des lendemains plus glorieux:

Un groupe de géants un jour quittait la France;
Trois siècles de labeur sont nés de ce départ.
                    [...]

Que malgré son courage, en dépit de son zèle,
Devant tant de laideur, cette France-Nouvelle,
Dut brûler ses drapeaux: l'Anglais était vainqueur.
[...]
Au milieu de ce peuple où le sort nous a mis,
Sans nous pourvoir toujours de sincères amis,
C'est le moment, c'est l'heure en ce grand jour de fête,
Regardons en arrière et relevons la tête.
"Pour la St-Jean-Baptiste", *Au fil de la vie* (1909)

Le présent que vivent ces ouvriers besogneux, travaillant à longueur de journée pour gagner un maigre salaire, qui servait à faire vivre une famille nombreuse, est aussi chanté par ce poète. En intitulant son poème, "La Chanson des Ouvrières", celui-ci révèle le fort pourcentage de femmes franco-américaines qui travaillaient dans les usines au début de ce siècle.

Le matin quant la cloche tinte;
Là-haut dans le sombre clocher,
[..]
Nous accourons d'un pas égal,
Nous ouvrières, jeunes filles,
[..]
Nous sentons bien notre paupière,
Quelquefois lourde sur nos yeux;
[..]
Tandis que de nos mains fièvreuses,
Nous attachons les fils cassés,
[..]
"La Chanson des Ouvrières", *Au fil de la vie*

Sur une note plus revendicative, **Charles-Roger Daoust** écrit "La Chanson de la Grève", dédiée à son "ami, Alfred Daigle, ancien président de l'Union des Tisseurs de Lowell".

Chantons ensemble, amis grévistes,
La bonne chanson du métier!
Ils vivent gras, capitalistes,
Aux dépens du pauvre ouvrier!
Leur jouissance sera brève,
Ils cèderont, ces orgueilleux.

Refrain:

Que Dieu protège notre grève!
Et nous serons victorieux. (bis)
                    Au seuil du crépuscule (1903)

Cette allusion à Dieu comme protecteur d'une grève nous rappelle la grande foi, sans faille aucune, qui anime le peuple franco-américain, tout comme il inspire ses poètes. Ayant perdu ses trois enfants, le médecin **Joseph Thériault** part, avec sa femme, en pèlerinage à Sainte Anne-de-Beaupré, en 1928. De ce voyage à but pieux, il rapportera une suite de sept poèmes comprenant 160 vers, dont ceux-ci:

Je n'ai que peu prié; je n'en ai nul besoin;
Ce que Dieu fait est bien. Lorsque Dieu pulvérise
Nos coeurs souvent de pierre, Il le fait avec soin
Et pour que ce broiement toujours nous favorise.
                    "Réflexions", *Loisirs et vacances*

La brutalité de la mort est escamotée dans l'oeuvre de ces auteurs par leur foi invincible:

La mort n'est pas la mort; Elle n'est qu'un passage
Vers des mondes meilleurs en un rêve entrevus
Et bien heureux celui qui fait ce grand voyage
Pour arriver plus tôt au banquet des élus!
                    "Condoléances", *Au seuil du crépuscule*
                    Charles-Roger Daoust (1909)

Seul, parmi tous ces poètes de la première génération, au verbe discret, **Philippe Sainte-Marie** abordera le thème de l'amour charnel:

Aime-le [son coeur] comme au temps de la noce joyeuse,
    Du baiser captivant,

De son premier mot d'amant,
Des étreintes sans nuit d'une vie amoureuse
                    "Part de Testament"[6]

---

6 Philippe Sainte-Marie est l'auteur de deux recueils publiés: *En passant* (Paris, 1926), *Voix patriotiques* (Woonsocket, RI, 1928) et *Juvenilia, Spicilège, Opistographe*, resté sous forme de manuscrit à la mort du poète.

Avec quels accents ces poètes ont-ils chanté la nature?
Il y a autant de tons qu'il y a de poètes:

> Un gris et lourd brouillard couvre le firmament,
> Assombrissant des flots la masse gémissante;
> Sur le sable, à mes pieds, la vague frissonnante
> Se brise en murmurant, puis s'en va lentement.
> *Espérance envolée* (1892)
> **Anna-Marie Duval-Thibault**

> Pauvre rose pâle et fanée,
> De l'été, dernier souvenir,
> Aujourd'hui seule, abandonnée,
> Les vents d'hiver vont te cueillir.
> Courbe, courbe ta triste tête,
> Tes jours de splendeur ne sont plus...
> – Comme toi j'attends la tempête:
> Mes plus beaux ans sont révolus!
> *La dernière rose*
> **Joseph-Arthur Smith**

Ces poètes franco-américains n'ont pas été de grands chantres de la nature. Leur pudeur innée semble leur avoir interdit les grandes envolées.

Que dire donc, en guise de conclusion préliminaire, de cette première génération de poètes franco- américains? Nés au 19e siècle, ils sont morts dans ce siècle-ci. Mais ils sont tous d'un autre temps. Leur poésie de rimeurs dociles est un écho discret de Lamartine et de Hugo qu'ils ont lus et admirés. A l'école de ces poètes, ils ont appris à faire des vers inspirés par leurs sentiments les plus profonds. Hélas, ils n'avaient ni le doux génie de Lamartine ni la verve foudroyante de Hugo.

Ces poètes sont aussi les émules d'Octave Crémazie (1827-1879) et de Louis Fréchette (1839-1908), poètes romantiques de l' "Ecole patriotique de Québec", mouvement littéraire qui durera de 1860 à 1890. Eduqués au Québec[7], ils lisaient les journaux et les revues leur venant de leur mère patrie. Il est donc tout à fait naturel que ces

---

7   Seuls Rémi Tremblay, Anna-Marie Duval-Thibault et Eugène Brault reçoivent une formation scolaire aux Etats-Unis.

écrivains se soient engagés dans les sillons tracés par leurs illustres devanciers, étoiles du firmament poétique du Canada français au 19e siècle. Mêmes thèmes, mêmes sentiments, chantés sur un ton mineur. Ils n'ont pas le feu sacré de leurs idoles, ni celui des Français, ni celui, déjà moindre, des Canadiens français.

La deuxième génération

Une autre génération de poètes voit le jour avec le siècle nouveau. Vingt-cinq ans s'écoulent entre la naissance du plus jeune des poètes de la première génération, Philippe Sainte-Marie (1875) et la naissance de **Rosaire Dion-Lévesque** (1900). Ce fait nous permet de constater la fragilité de ce phénomène d'une poésie de langue française survivant aux Etats-Unis d'Amérique. C'est néanmoins Dion-Lévesque, auteur de plusieurs recueils de poèmes, qui est reconnu comme étant le plus grand des poètes franco-américains, tant par l'ampleur de son oeuvre que par sa qualité. Outre ses sept recueils, Rosaire Dion-Lévesque est le traducteur du poète américain Walt Whitman. L'influence de Walt Whitman est décelable chez l'auteur dans son "Hymne à l'Amérique":

> AMÉRIQUE! AMÉRIQUE!
> Titan dont les mains sinueuses et puissantes
> Sont capables de tenir toutes les rênes du vieux monde!
> AMÉRIQUE! AMÉRIQUE!
> N'es-tu pas le coeur neuf, puissant, jeune et fort,
> Que les temps ont greffé dans la poitrine du vieil univers?

Dion-Lévesque, poète aux racines francophones, ressent néanmoins des sentiments contradictoires vis-à-vis de cette Amérique, comme le témoigne ce poème intitulé "Mon Pays", publié dans le dernier recueil du poète, *Quête*. Ce livre a paru en 1963, mais les poèmes qu'il contient avaient été écrits entre 1954 et 1962:

> Ainsi je ne saurais, ô mon brutal pays,
> Mon pays si cruel et si plein de défis
> Dire pourquoi je t'aime entre toutes les
>   terres.
>
> Pourquoi mon coeur, français comme une
>   fleur-de-lys
> Vagabond comme un vent du printemps,
>   a choisi

> De vivre et de mourir sous tes cieux
> téméraires!

Ce poète, presque contemporain, puisqu'il n'est mort qu'en 1974, subit l'influence, non seulement de Walt Whitman, mais aussi des poètes du Québec qui gravitaient autour de la figure de proue qu'était Alfred Desrochers (1907-1978).

Cette affiliation fait pressentir aussi les difficultés de l'auteur nourri, certes, par deux cultures fondamentalement différentes, mais écartelé aussi par sa double appartenance. Comme exemple de ceci, constatons que Rosaire Dion-Lévesque avait, dans son deuxième recueil de vers, *Les Oasis* (1930), dédié un poème à Edgar Allen Poe et un autre à Baudelaire. Ce même recueil contient une série de quatre poèmes qui constituent des "Hommages à Mgr J.B.H.V. Milette", écrits pour commémorer le dévoilement, en mai 1930, d'un monument à la mémoire de ce curé-bâtisseur de la ville natale du poète, Nashua, New Hampshire. Ce n'est pas du Mallarmé, écrivant "Le Tombeau d'Edgar Poe", mais écoutons quand même cette voix, on ne peut plus franco-américaine, puisque Dion-Lévesque est né, a fait ses études, a vécu et est mort en Nouvelle-Angleterre:

> Qu'on grave dans le bronze et qu'on chante en des vers
> Le mémorial d'or et le tribut insigne;
> Qu'on sculpte dans la pierre un buste à pur ligne
> Qui bravera longtemps les éléments pervers
> IV. "Au pied du monument"

Dion-Lévesque est plus près de nous que ses devanciers, et par son inspiration plus subtile, et par sa manière plus libre de traiter ses thèmes qui, à vrai dire, sont les mêmes que les leurs. Lui aussi parle de l'amour et de la mort, de la nature et de la foi. Il le fait néanmoins avec un souffle plus large et une intensité plus grande. "Inamorata", long poème divisé en deux parties, contient 535 vers dont 316 dans la Première partie et 219 dans la Deuxième. Dans un vers comme "appareiller vers les archipels merveilleux", on perçoit une influence baudelairienne:

> Tes yeux, ô mon amour, sont profonds comme la mer.
> Tes yeux sont caressants comme les nuits de mai.
> En eux j'aurai vu toutes les voiles de mes songes
> Appareiller vers les archipels merveilleux,

Et mes désirs innombrables
Y allumer des milliers d'astres,
Tes yeux, ô mon amour, sont profonds comme la mer,
Tes yeux sont caressants comme les nuits de mai.
Ta lèvre est la fontaine
Où ma soif humaine
S'est désaltérée un soir.
Ta bouche est la fontaine où j'ai bu la vie à
        pleine lèvres.

Vita (1939)

On trouve dans l'oeuvre de Dion-Lévesque plusieurs réminiscences de ses lectures des grands poètes français. Dans "Petite suite marine", l'auteur se sert comme épigraphe de ce vers de Mallarmé, "Mais, ô mon coeur, entends le chant des matelots". Et, dès les premiers vers de ce poème, on sait que l'auteur a lu Valéry. Voici donc un échantillon d'un "Cimetière marin" franco-américain:

La mer! Toujours la mer immense
        et palpitante
Déroule à l'infini ses ondulations,
Et le soleil, ses réverbérations,
Tachette d'un or blanc la vague
        bleuissante.
Là-bas un fin voilier que la lumière
        argente...

Oasis (1939)

L'oeuvre de Dion-Lévesque est très loin d'avoir la densité et de contenir la richesse verbale et la profondeur métaphysique des oeuvres des grands poètes cités plus haut. On doit, toutefois, applaudir son effort méritoire et sa réussite, dignes de notre respect. Un auteur qui vit éloigné de ses sources vives, entouré de toutes parts d'une civilisation, étrangère à son inspiration intime, et obligé, au jour le jour, de gagner sa vie dans une langue autre que celle qui est la source de son inspiration, a droit à notre admiration. Dans sa préface au premier recueil de Rosaire Dion-Lévesque, *En égrenant le chapelet des jours* (1928), Henri d'Arles[8] explique et excuse comme suite les faiblesses de l'ensemble de ces poèmes:

---

8 Voir note no 2.

Ce n'est pas sans dessein que j'ai écrit les mots: Premières Mesures. Ils résument l'impression que j'ai éprouvée à la lecture de ces petits poèmes. De la musique primitive. C'est l'enfance de l'art... Bien des causes expliquent et excusent, dans une certaine mesure, les faiblesses de rédaction que j'ai constatées ici: études classiques incomplètes, insuffisante fréquentation des modèles, carence d'un milieu intellectuel. L'auteur a vécu dans les entours les moins favorables à l'exercice de la pensée.

Un autre poète de la génération de Rosaire Dion-Lévesque, **Gabriel Crevier** (1908-   ), vit le jour au Québec, à Saint François-du-Lac, avant d'émigrer à Holyoke, Massachusetts, avec sa famille, à l'âge de 15 ans. Ses poèmes, inédits pour la plupart, mais dont certains ont été publiés dans divers journaux franco-américains de la Nouvelle-Angleterre, sont marqués par la délicatesse du sentiment, par l'observation minutieuse et émue de la nature qui enchante le poète. Selon Gabriel Crevier, "les vrais poètes, ce sont les grands chantres de la nature et du monde." (Préface inédite à son oeuvre).

La Sapinière

Je te porte en mon coeur, splendide Sapinière,
Dont l'agreste beauté nous capte à la manière
D'un spectacle céleste échoué sur nos bords.
J'aime toujours revoir tes fastueux abords
Où l'austère forêt érige sa muraille
[..]
Mais j'aime plus encore ton lac aux eaux limpides,
Que la brise en passant émaille de ses rides.

Fin ciseleur de son verbe, polissant et repolissant ses vers, ce poète frise parfois la préciosité. Ce travail d'orfèvre du verbe – lui-même se voit plutôt comme "simple bricoleur" ou "gratte-papier" – enlève à ses vers la spontanéité qui aurait pu leur donner des ailes. Ses vers s'alignent sagement sur la feuille. Il en est d'ailleurs pleinement conscient, puisqu'il écrit lui-même dans "Révélation", le poème liminaire de son recueil inédit:

Mais... l'auteur de ces vers, que la lyre fascine,
Cherchant la strophe pure en vain s'est exalté.
Sois-lui propice, ô muse: il rime. Hélas! il rime,
Ne sachant pas chanter.

La troisième génération

Deux autres poètes franco-américains méritent d'être portés à notre attention: **Paul-P. Chassé**, né en 1926, et **Normand Dubé** (1932-1988). Le premier est dans la lignée des poètes parnassiens – chaque mot étant serti à l'intérieur du vers, enchâssé à son tour dans une série de strophes pour former un reliquaire rutilant.

> Viendras-tu enfin vers ces aiguilles
>   de marbre où dansent les narguilés
> Cachant ainsi mon âge dans ton visage
>   que fouette la pluie
> Ou laisseras-tu cette épave du temps
>   s'enfuir comme la parasélène?
>
> Dis vite avant que la poussive pulsation
>   qui anime la rive de mes lèvres
> Consume en moi la sablonnière fumante
>   de mon impunité
> Et que mes désirs oublient que toutes les
>   floraisons sont brèves.
>   "Suite espagnole; I, El acercamiento"[9]

Normand Dubé se veut, de propos délibéré, aux antipodes de Paul Chassé. C'est un écrivain qui cherche à donner une voix à son peuple. Il se fait donc résolument roturier. Il se sent une affinité étroite avec les défavorisés de son milieu franco-américain. Dans ses poèmes il les saisit dans toute leur dépossession, et la voix qu'il leur donne est poignante de vérité vécue. Son poème intitulé, "La graine pousse", paru dans son deuxième recueil, *Au Coeur du Vent* (1978) en est le meilleur exemple:

> [..]
> Alors,
> Laissez-moi pleurer
>   Dans le fleuve
>   De mon passé
> Où j'ai pris le chemin des émigrés
>   Avec mes souvenirs
>   Comme compagnons.

---

9 Signalons que Paul-P. Chassé a écrit la seule thèse de doctorat à ce jour sur la poésie franco-américaine: "Les Poètes franco-américains de la Nouvelle-Angleterre (1875-1925)", Université Laval, 1968.

                    [..]
            Je respire les chantiers,
                Les rangs de patates et le Petit Canada.
                    [..]
            Laissez-moi pleurer
                Entre les bloques
                    Aux bardeaux dépeinturés
                    [..]
            Où, dans une langue singulière,
            J'apprenais les mots d'usage:

                    Puanteur
                    Crasse
                    Punaise
                    Crève-faim
                    Pourriture
                    Colon
                    Petit pain
                    Misère!
                    [...]

    Peut-on conclure dans un tel survol, tant soit peu sommaire? N'y aura-t-il pas d'autres poètes qui viendront ajouter un autre maillon à cette chaîne de poètes franco-américains? Hélas, il faut se rendre à l'évidence. Il y aura demain, et après, des poètes franco-américains, mais ils écriront, ils écrivent déjà, pour la plupart, en anglais[10]. Une Franco-Américaine à qui on demandait pourquoi elle n'écrivait rien en français, répondit ainsi à la question, "Comment voulez-vous que j'écrive des poèmes avec mon vocabulaire français qui ne compte que cinquante mots?"

_____

10 Dans la conclusion à sa thèse de doctorat sur les poètes franco-américains, Paul Chassé écrit, "Maintenant que le ghetto intellectuel – la presse franco-américaine – où s'étaient réfugiés, par nécessité, les poètes franco-américains, est en voie de disparition totale, que deviendront ces écrivains? S'ils désirent publier en français au Québec ou en France, les lira-t-on? Ou leur faudra-t-il écrire en anglais, tel le docteur E.-Donald Asselin, pour qu'on les connaisse dans leur propre milieu? Les romanciers Jacques Ducharme et John (sic) Kérouac le jugeront nécessaire." Ibid., p. 400.

Henri d'Arles écrivait du premier recueil de Rosaire Dion-Lévesque, "C'est l'enfance de l'art". Nous pourrions dire après lui, "C'est aussi l'enfance de la langue." Un vocabulaire de cinquante mots ne permet d'exprimer que des émotions enfantines dans un style rudimentaire. Il n'y aura plus demain de poésie franco-américaine en français, faute de mots pour l'écrire.

BIBLIOGRAPHIE

Chassé, Paul-P. "Les poètes franco-américains de la Nouvelle-Angleterre (1875-1925)." Thèse de doctorat, Université Laval, 1968.

_____. *Anthologie de la poésie franco-américaine de la Nouvelle-Angleterre*. Rhode Island Bicentennial Commission, 1976.

Lapierre, Michel. "Rosaire Dion-Lêvesque (1900-1974) et la 'littérature franco-américaine' ", Mémoire de maîtrise, Université de Montréal, 1983.

Santerre, Richard. *Anthologie – Littérature franco-américaine de la Nouvelle-Angleterre*. 9 tomes. Bedford, New Hampshire: National Materials Development Center, 1980-1981.

Tétrault, Lienne. "Three Franco-American Poets", *The French Review*, (March 1943): 382-390.

Therriault, Soeur Mary-Carmel. *La Littérature française de Nouvelle-Angleterre*. Montréal: Les Publications de l'Université de Montréal et Fides, 1946.

OEUVRES PUBLIÉES DES AUTEURS CITÉS

Boucher, Georges-Alphonse, M.D. *Je me souviens*. Montréal: Arbour et Dupont, 1933.
Sonnets de Guerre. Brockton, Massachusetts, 1943.
Chants du Nouveau Monde. Montréal: Beauchemin, 1946.
Chants du Nouveau Monde. Deuxième édition (refondue et augmentée). Brockton, Massachusetts, 1952.

Daoust, Charles-R., *Au Seuil du Crépuscule*. Shawinigan Falls, Qc: Cie de Pub. du St. Maurice, 1924.

Dion-Lévesque, Rosaire. *En égrenant le chapelet des jours*. Montréal et New York: Editions du Mercure, 1928.
Les Oasis. Rome: Desclée & Cie, 1931.
Petite Suite Marine. Paris: Editions de la Caravelle, 1931.
Walt Whitman. Traduction en français des meilleures pages de

Leaves of Grass. Préface de Louis Dantin. Montréal: les Elzévirs, 1933.
Vita. Montréal: Editions Bernard Valiquette, 1939.
Solitudes. Montréal: Les Editions Chantecler, 1949.
Jouets. Montréal: Les Editions Chantecler, 1952.
Quête. Québec: Editions Garneau, 1963.

Dubé, Normand, *Un Mot de Chez-Nous*. Cambridge, Massachusetts: NADC, 1976.
Au Coeur du Vent. Cambridge: NADC, 1978.
La Broderie inachevée. Cambridge: NADC, 1979.
Le Nuage de ma pensée. Bedford, New Hampshire: NMDC, 1981.

Girouard, Joseph-Amédée, *Au Fil de la Vie*, Lewiston, Maine: à compte d'auteur, 1909.

Sainte-Marie, Philippe, *En passant*. Paris: 1926, *Voix patriotiques*. Woonsocket, R.I.: 1928.

Thériault, Joseph, *Loisirs et Vacances*. Concord, New Hampshire: à compte d'auteur, 1929.

Rosaire Dion-Lévesque,
fils d'expatriés

Michel Lapierre

I. Né et mort à Nashua

Léo-Albert Lévesque naît le 26 novembre 1900 à Nashua, au New Hampshire, d'Edmond Lévesque et de Rosanna Dionne, tous deux d'origine canadienne-française. Quand il commencera en 1925 à publier des poèmes dans *Le Progrès*, hebdomadaire des francophones de la ville, il signera du pseudonyme de Rosaire Dion, devenu plus tard Rosaire Dion-Lévesque. Baptisé à l'église de la paroisse franco-américaine Saint-Louis-de-Gonzague, il grandit avec ses cinq soeurs dans un milieu où l'on parle encore la langue ancestrale. En 1918, il obtient un diplôme du *Nashua Business College* et occupera, jusqu'à sa retraite en 1968, des emplois modestes tant dans l'entreprise privée que dans la fonction publique.

C'est au cours de son adolescence que lui vient le "goût violent" de la poésie: "Je lisais avec rage, confiera-t-il en 1950 à Lucien C. SanSouci, tous les volumes de vers que je pouvais me procurer... Le père Hugo, et Lamartine, et Vigny, et puis Verlaine, et Rodenbach, et Rollinat que je mêlais à Keats, à Shelley (pas de Shakespeare), à Oscar Wilde, et, plus près de chez nous, Nelligan, Lozeau, Paul Morin, René Chopin..."[1]. Le 20 août 1927, il rend d'ailleurs visite à Emile Nelligan, interné à l'hôpital psychiatrique Saint-Jean-de-Dieu, en banlieue de Montréal, pour lui témoigner l'admiration qu'il éprouve pour son oeuvre. A la même époque, un autre écrivain canadien, Henri d'Arles (pseudonyme de l'abbé Henri Beaudet), prêtre du diocèse de Manchester au New Hampshire, l'encourage à continuer d'écrire des vers.

---

1 Lucien-C. SanSouci, "Le poète Rosaire Dion-Lévesque", dans *Le Phare*, Woonsocket, (R.I.), vol. III, n° 2, mars 1950, p. 2.

Moyennant vingt-cinq dollars[2], cet esthète hautain accepte même de préfacer *En égrenant le chapelet des jours*, premier recueil de Rosaire Dion, publié à Montréal en 1928.

Suivant le conseil de Nelligan, le poète rencontre aussi Louis Dantin, critique canadien alors exilé à Cambridge, près de Boston. Cette fois, c'est une authentique amitié qui se noue. Pendant seize ans, de 1928 à 1944, les deux hommes entretiennent une correspondance. De plus, le vendredi soir, Dion-Lévesque rend visite à son aîné et lui soumet des poèmes qu'il ne cesse de retoucher[3].

En 1931, il commence à collaborer au *Travailleur* de Worcester (Massachusetts) que Wilfrid Beaulieu vient tout juste de fonder, reprenant le titre du journal publié dans cette ville au XIXe siècle par Ferdinand Gagnon, le "père du journalisme franco-américain". La même année, il rencontre à Paris quelques écrivains (Fernand Gregh, Jehan Rictus, Pierre l'Ermite...) et visite ensuite le Midi, l'Italie, la Suisse, la Belgique et l'Angleterre. S'il retrouve avec joie certains aspects de la vieille France de ses rêves, il juge sévèrement la France contemporaine. "Tous ces artistes ou soi-disant artistes, partisans des écoles dadaïstes, réalistes et cubistes, me font l'effet, écrit-il à Wilfrid Beaulieu, d'être les dernières flambées d'une civilisation qui, à force de raffinement, travaille chaque jour à sa propre destruction"[4].

Quatre ans plus tard, il épouse l'écrivain canadien Alice Lemieux (1906-1983) qui avait remporté le prix David en 1929 pour un livre intitulé *Poèmes*. En 1941, il commence à collaborer au *Bayou*, petite revue de langue française publiée par un professeur de l'université de Houston au Texas. Il est rédacteur en chef de l'hebdomadaire *L'Impartial* de Nashua de 1946 à 1951 et ensuite du mensuel *Le Phare* de Woonsocket (Rhode Island) durant un an. A la même époque, il fait paraître dans *Le Haut-Parleur*, journal montréalais dirigé par T.-D.

---

2 Cf. compte rendu manuscrit de la visite du docteur Gabriel Nadeau à Rosaire Dion-Lévesque, le 16 mars 1946, p. 3. Fonds Gabriel Nadeau, Bibliothèque nationale du Québec (Montréal).

3 Cf. Lucien-C. SanSouci, *op. cit.,* p. 6.

4 Lettre à Wilfrid Beaulieu, 23 novembre 1931. Fonds Wilfrid Beaulieu, *Boston Public Library.*

Bouchard, une série de traductions de poètes américains. De 1952 à 1957, il publie chaque semaine dans *La Patrie*, toujours à Montréal, des articles biographiques sur des personnalités d'ascendance française habitant les Etats-Unis. Ces nombreux textes seront rassemblés dans *Silhouettes franco-américaines*, ouvrage paru en 1957, qui vaudra à l'auteur le prix Champlain, décerné deux ans après par le Conseil de la vie française en Amérique. Au début de la décennie suivante, Dion-Lévesque collabore à la revue *Rythmes et couleurs* que dirige à Paris l'écrivain canadien François Hertel. Il publiera aussi des poèmes et quelques articles dans *L'Information médicale et paramédicale* de Montréal.

Il meurt à Nashua le 6 janvier 1974. L'Académie française lui avait remis en 1957 le prix Auguste-Capdeville pour son oeuvre poétique et la Société royale du Canada, en 1963, la médaille Chauveau pour l'ensemble de ses ouvrages. La plupart des documents qui se rapportent à l'écrivain sont conservés aux Archives et à la Bibliothèque nationales du Québec ainsi qu'à la *Boston Public Library*.

II. Une oeuvre américaine

Des années trente aux années cinquante, Dion-Lévesque acquiert une certaine notoriété au Canada français et, bien sûr, dans le milieu culturel franco-américain. Cependant, depuis ce qu'on appelle la "Révolution tranquille", on ne parle pratiquement plus de lui au Québec. *Quête*, son dernier recueil, publié chez Garneau en 1963, passe presque inaperçu. Pourtant, cet écrivain solitaire a senti les choses en Nord-Américain, à l'exemple de Whitman, et mis son coeur à nu comme l'ont fait assez peu de poètes canadiens-français de son époque.

Pour Auguste Viatte, il

> est le meilleur poète "franco-américain" et le plus authentique des écrivains franco-américains puisqu'il est né aux Etats-Unis alors qu'Henri d'Arles ou Louis Dantin ne s'y sont fixés que tardivement. Il a subi l'influence de ce dernier: comme lui, il se

> révolte contre le "conformisme"; comme
> Walt Whitman, qu'il a traduit, il réagit
> contre l'industrialisme de son milieu et
> célèbre la Vie avec une ardeur païenne. Ses
> premiers recueils se ressentaient d'un
> symbolisme un peu mièvre; son style a
> mûri, pour aboutir, dans *Vita* (1939),
> *Solitudes* (1949) et *Jouets* (1952), à la fois à
> des versets véhéments et à des stances
> classiques à peu près parfaites[5].

Hélas, il nous semble impossible de souscrire tout à fait à un
jugement aussi élogieux. Dion-Lévesque est incontestablement le seul
poète d'expression française de la Nouvelle-Angleterre digne de ce
nom. Dans le domaine de la prose toutefois, Yvonne Le Maître, arrivée
aux Etats-Unis à l'âge de dix ans, et Corinne Rocheleau-Rouleau, née à
Worcester au Massachusetts, le surpassent nettement. Le style des
Silhouettes franco-américaines se ressent trop de l'usage quotidien de
l'anglais. S'il est vrai que les derniers recueils du poète s'inspirent
beaucoup moins du "symbolisme un peu mièvre" qui caractérisait ses
débuts littéraires, ils demeurent entachés de factice et de banalité.

Dans *Les Oasis*, publié en 1930, on remarque de lamentables
clichés comme celui-ci:

> Il brise à tout jamais les chaînes du Destin.
> S'élançant éperdu vers le Soleil lointain,
> L'Inconnu le conduit vers la Grande Aventure[6].

---

5   Auguste Viatte, *Anthologie littéraire de l'Amérique francophone*,
Sherbrooke (Québec), C.E.L.E.F., 1971, pp. 161-162. Dion-Lévesque est le seul
écrivain franco-américain de la Nouvelle-Angleterre mentionné par Viatte
dans l'*Histoire des littératures* de l'*Encyclopédie de la Pléiade* (édition de
1958): "Aux Etats-Unis, chez les Franco-Américains, écrit le collaborateur
dans le chapitre consacré au Canada fançais, Rosaire Dion-Lévesque traduit
Whitman et chante la vie à son exemple" (Paris, Gallimard, 1958, t. III, p. 1389).
Toutefois, dans l'édition de 1978 du même ouvrage aucun écrivain
d'expression française du Nord-Est des Etats-Unis n'est cité.

6   "Idéal", dans *Les Oasis*, Rome, Desclée, 1930, p. 23.

On retrouve, hélas, des poncifs semblables dans *Solitudes*, qui date pourtant de 1949. En voici un exemple:

> Il saura désormais que les grands horizons
> Ne valent pas le coin d'azur où nous rêvons[7].

Et que dire de ces vers extraits de *Quête* (1963), le dernier recueil du poète:

> Hiver,
> Peut-être sous ton linceul blanc
> Retrouverai-je mon âme d'enfant[8]?

De plus, des métaphores forcées déparent plusieurs poèmes. Ainsi, dans *Les Oasis*, on peut lire ce tercet incongru:

> Et je vais ébranlant les toiles fantastiques
> Du Destin, et je vois mes rêves élastiques,
> Comme un tremplin, lancer au ciel, mon triste coeur [9].

Le recueil *Solitudes* renferme, lui aussi, des images bizarres. Voici un extrait du poème intitulé "Partir:"

> Habitude, j'entends ta trop sagace voix,
> Tu me dis: demeure, noble est le sacrifice.
> Mais mon désir fend l'air avec un bruit d'hélice[10].

Les vers réguliers de Dion-Lévesque valent surtout par leur musicalité. Certains sonnets, comme "Ma rivière" dans *Quête*, constituent d'étonnantes réussites mélodiques. Par ailleurs, les versets à la Whitman[11] et les vers libres qu'il emploie à partir des années trente, sans pour autant abandonner la pratique de la prosodie

---

7 "Partir", dans *Solitudes*, Montréal, Chantecler, 1949, p. 21.

8 "Automne", dans *Quête*, Québec, Garneau, 1963, p. 25.

9 "Or, je fais des soleils", dans *Les Oasis*, p. 31.

10 *Solitudes*, p. 20.

11 *Hymne à l'Amérique* (1932) en constitue certainement le meilleur exemple.

traditionnelle, donnent à son oeuvre le ton direct, confidentiel, qui convient parfaitement à une vocation de poète intimiste.

Néanmoins, l'imitation servile des romantiques prive souvent les vers de Dion-Lévesque du rythme éclatant et de la force secrète qui caractérisent le meilleur de sa production. Ainsi, on trouve dans *Solitudes* ce quatrain qui rappelle beaucoup trop Lamartine:

> Les choses ont-elles une âme?
> Plus vibrantes que nous, vivent-elles davantage?
> Nous aimons, nous nous détachons.
> Les choses demeurent[12].

Le romantisme attardé de l'écrivain a d'ailleurs été souligné par la critique:

> Son inspiration comme son talent, écrit Gérard Tougas, le situent à mi-chemin entre Pamphile Le May et Nelligan. Plus compliqué que Le May, moins artiste que Nelligan, le sonnettiste des *Oasis* ne diffère pas essentiellement des romantiques canadiens du XIXe siècle. Que le poète ait pu se situer sur un plan poétique aussi désuet s'explique sans doute par le cadre de Nashua, petite ville du New Hampshire où furent écrites *Les Oasis*. Comment se prémunir aux Etats-Unis contre la toute-puissante langue américaine, irrespectueuse des derniers retranchements psychologiques? L'étonnant c'est que Rosaire Dion-Lévesque, depuis son début en poésie, n'ait cessé de grandir [...][13]

En fait, même dans les derniers recueils, le poète reste romantique à sa façon. Mais ses élans païens, ses accents sensuels, une certaine tendance à l'agnosticisme, sa profonde solitude, son impuissance devant la vie, son sens de la vanité des choses le distingueront de plus

---

12 "Les choses ont-elles une âme?", dans *Solitudes*, p. 17.

13 Gérard Tougas, *Histoire de la littérature canadienne-française*, 3e édition, Paris, Presses universitaires de France, 1966, p. 216.

en plus des poètes canadiens-français du siècle dernier.

De plus, le caractère essentiellement nord-américain de son inspiration lui donne une originalité certaine, une authenticité indéniable. Avec raison, Alfred DesRochers le classe, en 1936, parmi les huit poètes canadiens-français qui ont tenté, selon lui, de poser "les assises d'une tradition locale[14]" au lieu de garder les yeux rivés sur l'Europe:

> Ces huit-là, écrit DesRochers, au risque de perdre les quelques amis qui me restent, je vous donne leurs noms par ordre alphabétique: William Chapman, René Chopin, Robert Choquette, Octave Crémazie, Rosaire Dion-Lévesque, Eudore Evanturel (que ni Mgr Roy ni l'abbé Dandurand ne mentionnent dans leurs manuels), Jean Narrache et Simone Routier[15].

Il admire beaucoup la familiarité et la sensibilité nord-américaine de la poésie de Dion-Lévesque qu'il retrouve aussi, d'une façon toute particulière, dans l'oeuvre de Simone Routier et de Robert Choquette:

> Chez Rosaire Dion [...], écrit-il, se fondent à des degrés divers les qualités de Mlle Routier et de Robert Choquette. Comme la première, il a une intimité que j'oserais dire intense, mais qui s'exprime beaucoup plus richement. Je pense surtout à telle "Petite Suite marine" et à des poèmes inédits que j'ai eu la bonne fortune de lire. Comme Choquette, il possède le don évocateur, le don de l'image aux résonances illimitées, du vers tour à tour, souvent à la fois, dense et flou, du vers qui fait rêver bien plus qu'il ne commente ou ne décrit.

De plus, il y a chez Rosaire Dion-Lévesque, surtout

---

14 Alfred DesRochers, "L'Avenir de la poésie en Canada français" (2e partie), dans *Les Idées* (Montréal), 2e année, vol. IV, n° 1, juillet 1936, p. 110.

15 Ibid.

dans le "Salut à Whitman," par quoi s'ouvre sa
traduction des oeuvres choisies de ce maître, un
sens fraternel qui dépasse de beaucoup les
allégeances snob au socialisme qu'il fut de mode, il
y a quelques années, d'étaler parmi la gent
littéraire. Par le nombre et la richesse des qualités
dont il est loti, Rosaire Dion est la réplique
contemporaine du Chopin d'avant 1911; mais il
appartient à la dernière génération des
Franco-Canadiens francophones. Autour de lui, de
moins en moins l'on ne parle français. La
génération qui le suivra connaîtra le français
comme nous connaissons le latin[16].

Conscient de la situation extrêmement précaire du français en
Nouvelle-Angleterre, DesRochers laisse entendre cependant que seul
un usage plus courant de la langue des ancêtres distingue les
Canadiens français de leurs frères franco-américains. Parlant même
du caractère "anglo-saxon" de l'oeuvre poétique de Robert Choquette, il
n'hésite pas à affirmer: "Si nous sommes appelés à survivre,
Choquette sera un ancêtre littéraire, car il accorde l'expression à ce
que nous sommes déjà en actes: des Américains de langue française"[17].

Qu'on adopte ou non cette opinion au sujet des francophones qui
habitent encore la vallée du Saint-Laurent, on ne saurait nier que
l'oeuvre du Franco-Américain Rosaire Dion-Lévesque exprime avec
évidence l'identité définie par DesRochers. Mais l'isolement culturel
du poète ne peut que nous faire penser à l'inévitable assimilation:

A moins d'édifier, écrit DesRochers dès 1936, une
culture américaine d'expression française, à moins
de répéter, avec les révolutions en moins, je l'espère,
l'histoire de certaines républiques sud-américaines,
nous roulons grand train vers l'abîme de
l'absorption dans le grand tout nord-américain et

---

16 Ibid., pp. 118-119.

17 Ibid., p. 117.

anglophone[18].

Soulignant le caractère inusité d'une oeuvre poétique écrite en français aux Etats-Unis[19], Dion-Lévesque, dans son discours prononcé en 1964, à l'occasion de la remise de la médaille Chauveau, citait, d'ailleurs en les faisant siens, ces propos de Louis Dantin:

> Il n'existe pas de littérature franco-américaine et il n'en existera jamais. Cette survivance qu'on nous prêche, combien y croient encore véritablement. Nous nous dispersons tous les jours; nous sommes enlisés jusqu'au cou et cet enlisement n'est pénible qu'à quelques hommes de coeur. La masse est inerte comme une mie de levain. Deux ou trois écrivains, des poètes, s'acharnent à produire des livres au milieu d'une population qui ne les entend pas et ne peut les comprendre. Leurs oeuvres appartiennent aux lettres canadiennes- françaises, et à cause de cela ils n'auront pas travaillé en vain[20].

Malgré cette déchéance, le poète de Nashua a tenté de conserver la

---

18 Ibid., p. 126.

19 Seule la Louisiane avait déjà produit des poètes de langue française. Mentionnons, parmi les natifs du pays, Alexandre Latil (1816-1851), les frères Dominique (1810-1890) et Adrien (1813-1887) Rouquette, Oscar Dugué (1821-1872) et surtout Georges Dessommes (1855-1929), qui était sans doute le plus doué d'entre eux. On trouvait aussi chez les créoles de souche de bons romanciers comme Alfred Mercier (1816-1894), qui a aussi écrit des poèmes, et Sidonie de La Houssaye (1820-1894). Sur la littérature franco-louisianaise, voir Auguste Viatte, *Histoire littéraire de l'Amérique française des origines à 1950*. Québec-Paris, Presses de l'université Laval et Presses universitaires de France, 1954, pp. 219-300; et Réginald Hamel, *La Louisiane créole littéraire, politique et sociale* (1762-1900), Montréal, Leméac, 1984, 2 tomes.

20 Paroles rapportées dans Gabriel Nadeau, *Louis Dantin, sa vie et son oeuvre*, Manchester, [N.H.], Editions Lafayette, 1948, p. 234; citées dans "Discours de M. Rosaire Dion-Lévesque, récipiendaire (sic) de la médaille Chauveau pour 1964", dans *Mémoires de la Société royale du Canada*, t. II, 4e série, juin 1964, 1ère section, p. 46.

culture de ses pères en l'intégrant à son identité états-unienne. Tout au long de sa vie, il a gardé des liens avec le Canada sans songer pour le moins du monde à quitter son cher New Hampshire pour vivre sur les bords du Saint-Laurent: il s'y sentait enraciné.

C'est sans doute dans l' "Hymne à l'Amérique"[21], poème écrit à Paris en 1931, que l'écrivain exprime le mieux ses sentiments à l'égard de sa terre natale. Charmé par l'Europe, continent d'ancienne civilisation, mère des arts et des lettres, ému surtout par la France, pays ancestral, berceau de sa langue maternelle, il préfère malgré tout les Etats-Unis, sa vraie patrie. Plusieurs intellectuels américains, de diverses origines ethniques, venus en pèlerinage dans l'Ancien Monde, en sont arrivés à la même conclusion: si jeune, si sauvage soit-elle, l'Amérique reste leur univers mental et le continent de l'avenir. L'Europe peut leur apporter beaucoup, mais ils n'ont pas à devenir Européens pour penser et pour écrire: il leur suffit d'être Américains. Henry Miller dans *Tropic of Cancer* et Thomas Wolfe dans *Of Time and the River* ont évoqué cette désillusion devant les splendeurs du passé, jointe, grâce au recul, à une redécouverte intime de leur pays. Avant eux, Melville, dans un essai intitulé *Hawthorne and his Mosses* (1850) et Whitman, dans la préface de *Leaves of Grass* avaient revendiqué avec fierté une culture authentiquement américaine. On sent d'ailleurs l'influence whitmanienne dans les vers de Dion-Lévesque:

> *Amérique! Amérique!*
> Titan dont les mains sinueuses et puissantes
> Sont capables de tenir toutes les rênes du vieux monde!
> [..]

---

21 "Hymne à l'Amérique", dans *Revue de l'Amérique latine*, (Paris) 11e année, t. XXIII, n° 121, janvier-février-mars 1932, pp. 44-47. Repris dans *Le Travailleur* (Worcester, Mass.), vol. 1, n° 32, 17 avril 1932, p. 2; et dans Richard Santerre, *Anthologie de la littérature franco-américaine de la Nouvelle-Angleterre*, Manchester, [N.H.], National Materials Development Center for French and Creole, 1981, t. 9, pp. 140-143.

Je t'aime pour la force immarcescible
Qui circule en tes veines généreuses et gonflées[22].

Et le ton devient prophétique. Ce n'est plus l'Europe vieillie, devenue artificielle, transformée en musée, mais l'Amérique altière et vigoureuse qui sauvera la civilisation:

Une race qui monte à l'assaut des temps futurs,
Sur les ailes du Progrès, franchit
Les bornes trop étroites des âges révolus.
Et tu t'avères, de jour en jour, Amérique,
Comme le Messie de l'humanité chancelante[23].

Envoûté par la naissance d'une culture nouvelle, Dion-Lévesque publie en 1933 une traduction d'extraits de *Leaves of Grass* et, dans un "Hommage" liminaire, salue en Whitman le libérateur du corps humain et va jusqu'à le considérer comme un "nouveau Christ"[24]. De fait, il ne cessera à travers son oeuvre de célébrer la chair, d'en évoquer les plaisirs et les tourments.

Malgré cette obsession, le poète sait parfois chanter une tendresse qui vient tout droit du coeur comme le prouvent ces vers extraits de *Solitudes:*

Quand on est deux,
On n'entend pas le bruit de la pluie.
Le battement d'un pouls
Au creux d'un bras replié
Oblitère
Tous les bruits de la terre[25].

---

22 Santerre, pp. 140-141.

23 Ibid, p. 142.

24 *Walt Whitman, ses meilleures pages traduites de l'anglais,* Montréal: Les Elzévirs, 1933, p. 21.

25 "Pluie de janvier", dans *Solitudes,* p. 52.

PRINCIPALES OEUVRES

En égrenant le chapelet des jours. Montréal-New York, Editions du Mercure, 1928. 168p.

Les Oasis. Rome, Desclée, 1930. 132p.

Walt Whitman, ses meilleures pages traduites de l'anglais. Montréal, Les Elzévirs, 1933. 240 p. Réimprimé à Québec par les Presses de l'université Laval en 1971.

Vita. Montréal, Valiquette et Action canadienne-française, 1939. 127 p.

Solitudes. Montréal, Chantecler, 1949. 94 p.

Jouets. Montréal, Chantecler, 1952. 72 p.

Silhouettes franco-américaines. Manchester (N.H.), Association canado-américaine, 1957. 933 p. Supplément, 6 p.

Quête. Québec, Garneau, 1963. 50 p.

Textes choisis, dans Richard Santerre, *Anthologie de la littérature franco-américaine de la Nouvelle-Angleterre,* Bedford - Manchester (N.H.), National Materials Development Center for French and Creole, 1981, t. 9, pp. 128-362.

Au-delà de la route:
l'identité franco-américaine de Jack Kerouac

Robert-B. Perreault

Connu par ses lecteurs, et par le public en général, comme le "roi des *Beats*" – Jack Kerouac est un des fondateurs de la *Beat Generation*, mouvement littéraire à caractère bohème des années 1950 – Kerouac possède aussi une autre identité, moins visible: celle d'un Franco-Américain catholique de la classe ouvrière. Tout en s'attirant beaucoup d'attention, sous forme d'éloge ou de condamnation, avec sa bible *beat, On the Road*[1] et des ouvrages semblables, qui traitent tous de ses aventures dans le monde de l'alcool, de la drogue, de la libération sexuelle, du jazz, du bouddhisme et de voyages transcontinentaux – Kerouac voit passer presque sous silence d'autres romans où il décrit son milieu familial, ethnique et religieux à Lowell, Massachusetts. Il s'agit de *The Town and the City, Doctor Sax, Maggie Cassidy, Visions of Gerard* et *Vanity of Duluoz*[2].

Pour mieux comprendre l'oeuvre de Kerouac, on devrait se familiariser avec l'histoire des Français en Amérique du Nord, peuple qui, à travers sa foi, sa langue, ses traditions et son concept de la famille et du travail, lutte depuis quelques siècles pour survivre malgré la Conquête, la sujétion, la discrimination, l'aliénation et le manque d'instruction. Issu de cette culture, d'où il envisage en même temps le "rêve américain", Kerouac affiche souvent une attitude ambivalente envers son héritage, l'embrassant affectueusement d'un côté et le rejetant amèrement de l'autre. Par conséquent, ses écrits

---

1 KEROUAC, Jack. *On the Road,* New York, Signet, nouvelle édition, s.d.

2 KEROUAC, Jack. *The Town and the City.* New York, Harcourt, Brace, Jovanovich, nouvelle édition, 1978; *Doctor Sax. Faust Part Three.* New York, Grove Press, 1959; *Maggie Cassidy.* New York, McGraw-Hill, nouvelle édition, 1978; *Visions of Gerard.* New York, Farrar, Straus, and Co., 1963; *Vanity of Duluoz. An Adventurous Education.* New York, G.P. Putnam's Sons, nouvelle édition, 1978.

reflètent sa quête de la signification de la vie dans un monde qui évoque à la fois en lui-même des sentiments d'amour, de bonheur, de bien-être spirituel et de liberté, mais aussi de désaffection, d'incertitude et d'infériorité.

"Je me souviens", devise officielle du Québec: par tradition, les Français en Amérique du Nord sont toujours demeurés en contact avec le passé, *leur* passé, et Jack Kerouac ne fait aucunement exception à cette tendance car il est toujours resté conscient de son héritage franco-américain. De plus, il impressionne ceux qui l'entourent par son rappel total et détaillé d'incidents du passé. Il n'est donc pas surprenant que, dans la "note de l'auteur" au début de son livre *Lonesome Traveler*, Kerouac indique qu'il est de nationalité franco-américaine, tout en offrant des renseignements généalogiques sur sa famille:

> Ma mère s'appelle Gabrielle, et c'est en écoutant ses longues histoires à propos de Montréal et du New Hampshire que j'ai appris l'art de conter. Les miens viennent de la Bretagne, mon premier ancêtre nord-américain le Baron Alexandre Louis Lebris de Kerouac de Cornouaille, Bretagne, vers 1750, on lui a fait concession d'une terre au bord de la Rivière du Loup après la victoire de Wolfe sur Montcalm; ses descendants ont épousé des Indiens (Mohawk et Caughnawaga) et sont devenus cultivateurs de pommes de terre; premier descendant aux Etats-Unis mon grand-père Jean-Baptiste Kerouac, charpentier, Nashua, N.H. – La mère de mon père était une Bernier apparentée à l'explorateur Bernier – tous des Bretons du côté de mon père – Ma mère a un nom normand, L'Evesque[3].

Les parents de Jack Kerouac naissent tous les deux au Québec, son père, Léon-Alcide Kerouac, à Saint-Hubert en 1889 et sa mère, Gabrielle-Ange Lévesque, à Saint-Pacôme en 1894. En bas âge, tous les deux participent, avec leurs familles respectives, à la vague d'émigration vers la Nouvelle-Angleterre, pour s'établir à Nashua au

---

3 KEROUAC, Jack, *Lonesome Traveler*. New York, McGraw-Hill, 1960, v. Cette traduction (ainsi que celles qui suivent) est la mienne.

New Hampshire. Durant son adolescence, Léon Kerouac, qui changera son nom à "Léo", obtient un emploi à *L'Impartial*, tri-hebdomadaire de langue française à Nashua, où il apprend le métier d'imprimeur. Reconnaissant chez son jeune apprenti plusieurs talents, le propriétaire, Louis Biron, l'envoie à son autre journal, *L'Etoile*, quotidien de Lowell au Massachusetts, où Léo oeuvre à la fois comme linotypiste, reporter, écrivain et traducteur. Maintenant établi définitivement à Lowell, cette ville franco-américaine typique et le berceau de l'industrie textile aux Etats-Unis, Léo Kerouac retourne, néanmoins, à Nashua pour y chercher une compagne. C'est là, en 1915, qu'il épouse Gabrielle Lévesque, orpheline qui, jusqu'alors, avait gagné son pain dans les manufactures de chaussures. A cette époque, Léo quitte *L'Etoile* pour aller travailler à la *Metropolitan Life Insurance Company*, emploi lucratif qui lui permet par après de fonder une imprimerie, la *Spotlight Print*, d'où il publie son propre journal théâtral, *The Spotlight*.

Léo et Gabrielle Kerouac auront trois enfants: Gérard, appelé aussi "Ti Loup", garçon faible et maladif qui meurt de rhumatisme articulaire aïgu en 1926, à l'âge de neuf ans; Caroline, appelée "Ti Nin" ou "Nin"; et le cadet, Jean-Louis, à qui on donne les sobriquets de "Ti Pouce", "Ti Jean", plus tard "Jacky" et enfin "Jack".

Baptisé en l'église Saint-Louis-de-France, située dans le quartier Centralville de Lowell, Kerouac, qui considère l'écriture comme un devoir sur la terre[4] et qui s'efforce de s'en servir pour recréer chaque moment de sa vie, raconte même sa propre naissance:

> C'est à Centralville que je suis né [...] De l'autre côté du large bassin en allant vers la colline – dans le chemin Lupine, mars 1922, à cinq heures de l'après-midi sous un firmament rougeâtre à l'heure du souper, lorsque, à demi endormi, on tirait de la bière dans les tavernes des rues Moody et Lakeview et [...] et sous les neiges humides du coteau recevant les rayons de soleil perdus la fonte de l'hiver se mélangeait au mugissement de la

---

4 *Ibid.*, vi.

rivière Merrimac – je suis né[5].

Comme dans la plupart des familles franco-américaines de l'époque, la langue française domine chez les Kerouac. Dans une lettre à Yvonne Le Maître, auteure d'une critique de son premier roman, *The Town and the City* (1950), qu'elle publie dans *Le Travailleur* de Worcester (Massachusetts), Jack avouera que:

> Toutes mes connaissances ressortent de mon "canadianisme français" et de nulle autre part. La langue anglaise est un outil récemment trouvé... tellement tard (je ne parlais pas anglais avant l'âge de six ou sept ans). A l'âge de 21 ans j'avais toujours la parole arriérée et j'écrivais comme un illettré. Quel mélange. Je manipule facilement les mots anglais parce que ce n'est pas ma propre langue. Je la refaçonne afin qu'elle puisse s'adapter à des *images françaises*[6].

On ne doit pas s'étonner que Kerouac soit demeuré un francophone unilingue pendant si longtemps car, selon sa propre description, "Centralville à Lowell en 1925 [était] une communauté renfermée vraiment française comme on ne retrouverait peut-être plus [...] en France moderne"[7]. Sans doute, l'Académie française n'approuverait guère le français tel qu'il était et qu'il continue d'être parlé par bon nombre de Franco-Américains à Lowell et ailleurs, ce patois coloré d'archaïsmes, de canadianismes, de mots amérindiens et d'anglicismes. Toutefois, dans le monde de Kerouac, c'est la réalité linguistique par excellence et pour dépeindre aussi authentiquement que possible l'ambiance, l'action et le dialogue du foyer familial et du quartier en général, il conforme l'écrit à l'oral et reproduit tel quel ce

---

5 KEROUAC, Jack, *Doctor Sax*, pp. 16-17.

6 KEROUAC, Jack, "Une lettre inédite de Jack Kerouac", présentation par Michel Lapierre, dans *Le FAROG Forum* (Orono, Maine), vol. 11, no 8, mai-juin 1984, p. 15.

7 KEROUAC, Jack, *Visions of Gerard*, p. 80.

parler populaire qu'il baptise le *Canuckois*[8], facilement identifiable à "notre accent canadien-français semi-iroquois"[9]. Ce langage, Kerouac s'en sert dans presque tous ses livres, soit un mot ici et là, soit une phrase ou parfois même un paragraphe entier, presque toujours suivis d'une traduction ou au moins d'une adaptation anglaise. Cependant, dans certains cas, il ne s'occupe pas de traduire "des significations qui ne peuvent jamais être inscrites dans la langue anglaise"[10].

Enfant d'immigrants, Kerouac ressent à l'intérieur de lui-même deux personnes, ou du moins une personne ayant une double identité. Par exemple, dans une longue description bilingue de son bon ami Neal Cassady, héros de *On the Road* et de *Visions of Cody*, Kerouac offre en préface à la partie française le commentaire suivant: "[...] écoutons ce que mon côté canadien-français a à dire à son propos"[11]. Cette phrase démontre à quel point Kerouac croit voir la vie de deux perspectives différentes à partir des deux langues et des deux cultures qu'il possède. De plus, lorsqu'il demande au lecteur d'**écouter** ce que son côté canadien-français a à dire, il ne laisse aucun doute que, pour lui, le français demeure une langue surtout orale.

L'ambivalence envers la langue maternelle et l'héritage culturel constitue un autre trait typique des membres de la seconde génération d'immigrés. Chez Kerouac, cette attitude se manifeste à maintes reprises. Commençons, tout d'abord, par le côté positif. Lors d'un de ses nombreux voyages transcontinentaux, cette fois-ci avec sa mère, Kerouac déclare, en arrivant à Lafayette, Louisiane: "[...] nous nous étonnons d'entendre les gens parler exactement comme nous le faisons en québécois"[12]. Ceci reflète la joie et la camaraderie qu'il ressent parmi ses "cousins" cajuns. Il éprouve un sentiment identique en France où, lors d'un voyage de recherches généalogiques, il

---

8 *Ibid.*, p. 97.

9 *Ibid.*, p. 21.

10 KEROUAC, Jack, *Maggie Cassidy*, p. 97.

11 KEROUAC, Jack, *Visions of Cody*. New York, McGraw-Hill, 1972, p. 362.

12 KEROUAC, Jack, *Desolation Angels*. New York, G.P. Putnam's Sons, nouvelle édition, 1978, p. 341.

entretient

> [...] de longues conversations fascinantes et sincères en
> français avec des centaines de personnes partout. [...] Je
> ne me suis même pas efforcé de leur parler en français
> parisien et je leur envoyais des coups et des *pataraffes*
> de français *chalivarie* qui les causait de se tordre de rire
> parce qu'ils comprenaient encore [...][13]

De même, après avoir rêvé qu'il est à Montréal, il écrit: "C'était un
rêve tellement joyeux, que je me suis réveillé à 5 heures du matin en
ressentant la camaraderie et la chaleur [...] c'était Ti Jean le saint
heureux revenu enfin parmi ses frères fidèles..."[14]. Tout cela peut être
juxtaposé à d'autres incidents plutôt négatifs. Dans son cours de
français à la *Horace Mann Prep School* de New York, Kerouac a des
expériences semblables à celles d'étudiants franco-américains
ailleurs:

> Je prends le livre de français et je lis tous ces mots
> français drôles que nous ne disons jamais en français
> canadien, je dois consulter le glossaire à la fin, je
> redoute comment le professeur Carton du cours de
> français rira de mon accent ce matin en me demandant
> de me lever et de lire un jet de prose[15].

Dans un rêve, Kerouac se montre assez hostile envers la présence
même des Français en Amérique du Nord:

---

13 KEROUAC, Jack, *Satori in Paris*. New York, Grove Press, nouvelle édition,
1978, p. 46. Afin de préserver l'authenticité du langage de Kerouac, je ne
traduis pas en français standard les mots en italiques, qui appartiennent tous
au parler populaire des Français en Amérique du Nord et que Kerouac
incorpore avec son texte original en langue anglaise. De plus, je conserve
l'orthographe, parfois fautive, là où il tente de se servir du français standard.
Cela est également en italiques.

14 KEROUAC, Jack, *Book of Dreams*. San Francisco, City Lights Books,
nouvelle édition, 1976, p. 118.

15 KEROUAC, Jack, *Vanity of Duluoz*, p. 31.

Je vais retourner en Bretagne pour avertir mes pêcheurs: "Ne faites pas route vers l'embouchure du Saint-Laurent, c'est là qu'on vous a trompés auparavant - *ils vous on joué un tour*"[16].

La religion, c'est-à-dire le catholicisme vu d'une perspective franco-américaine, exerce une profonde influence sur Kerouac. Cela est bien évident dans son traitement des thèmes de l'amour, du travail, de la souffrance, de la prière, du mysticisme, de la mort et de la sanctification. Comme tous les "bons" catholiques de cette époque, fidèles à leur devoir, les parents de Ti Jean l'envoient à une école paroissiale – tout d'abord à l'école Saint-Louis-de-France et plus tard à l'école Saint-Joseph – sous la direction de religieuses et de frères respectivement. Ce n'est qu'aux niveaux de la *junior high school* et de l'école secondaire qu'il ira à des institutions publiques. Chez Kerouac, cependant, les croyances et les préoccupations religieuses relèvent moins de ses années d'école paroissiale que de celles de sa petite enfance, avant et après la mort de son frère, Gérard. Par ses paroles et ses gestes durant les quatre premières années de la vie de Ti Jean, et par la suite, à travers les histoires que lui raconte sa mère à propos de son frère aîné décédé, Gérard deviendra, pour Ti Jean, un mentor spirituel, voire un saint. *Visions of Gerard*, le roman que préférait Kerouac au-dessus de tous ses autres, et dans lequel il rend hommage à son frère, débute ainsi:

Gérard Duluoz est né en 1917 un petit enfant maladif avec un coeur rhumatisant et beaucoup d'autres complications qui l'ont fait souffrir pour la plupart de sa vie qui s'est terminée en juillet 1926, à l'âge de 9 ans, et les soeurs de l'école paroissiale St-Louis-de-France étaient à son chevet pour prendre ses dernières paroles parce qu'elles avaient entendu ses étonnantes révélations à propos du ciel livrées en classe de catéchisme sans aucun encouragement au-delà du fait que c'était à son tour de parler – Gérard le saint[17].

---

16 KEROUAC, Jack, *Book of Dreams*, p. 23.

17 KEROUAC, Jack, *Visions of Gerard*, p. 7.

De Gérard, qu'il suit partout, et au chevet de qui il demeure pendant des heures, écoutant ses déclarations révélatrices et profondes, Ti Jean apprend beaucoup sur l'amour, la charité humaine et la révérence pour la vie. Dans *Visions of Gerard*, Kerouac revoit son frère en train de donner à manger aux oiseaux qui se perchent sur le rebord de sa fenêtre. Il décrit aussi une scène où Gérard, d'habitude un enfant doux et paisible, fait des remontrances à leur chatte parce qu'elle vient de dévorer une souris qu'il soigne, l'ayant d'abord trouvée blessée mais encore vivante, dans une souricière. Rempli de terreur, Ti Jean se souviendra toujours de cet incident qui l'inspirera d'écrire que

> Je n'avais jamais vu Gérard fâché. Dans le coin, j'étais stupéfait et j'avais peur, tout comme on se sentirait en voyant le Christ dans le temple en train de renverser les tables des changeurs en les fouettant[18].

Ailleurs, Kerouac raconte un autre souvenir de Gérard, cette fois un acte de charité envers un autre enfant moins fortuné:

> Je crois pouvoir me souvenir de ce matin grisâtre [...] lorsque Gérard est arrivé chez nous sur la rue Burnaby (quand j'avais 3 ans) avec le gosse dont je n'oublierai jamais le nom [...] Plourdes [...] La morve au nez et sans mouchoir pour se moucher, sale, vêtu d'un petit chandaille tout troué, Gérard lui-même portant ses longs bas noirs paroissiaux et les hautes chaussures boutonnées [...] Gérard veut que Maman Ange donne du pain et du beurre et des bananes au gosse Plourdes, "*Ya faim*" - Sans doute, d'une famille pauvre et ignorante, qui ne lui donnait jamais à manger sauf au souper, ou de temps à autre (peut-être) un sandwich à la graisse de porc, Gérard était assez fin pour se rendre compte que l'enfant avait faim [...][19]

Témoin de la souffrance quotidienne de son frère malade, à l'écoute des histoires de saints et de martyrs, y compris celle de Marie-

---

18 *Ibid.*, pp. 18-19.

19 *Ibid.*, p. 12.

Rose Ferron[20], stigmatisée de Woonsocket au Rhode Island, racontées par sa mère, Ti Jean développe dans son esprit d'enfant la notion que la clef du salut et même de la sanctification se trouve dans la souffrance. Devant Ti Jean, Léo Kerouac renforce cette idée en s'adressant ainsi à Gérard: "*Mon pauvre ti Loup, tu es né pour souffrir*"[21]. Plus tard, un oncle de Kerouac fera une déclaration qui, par son ton déprimant, dépasse celle du père:

> *O mon pauvre Ti Jean si tu sava tout le trouble et toute les larmes epuis les pauvres envoyages de la tête au sein, pour la douleur, la grosse douleur, impossible de cette vie ou on's trouve daumé a la mort – pourquoi pourquoi pourquoi – seulement pour suffrir, comme ton père Emil, comme ta tante Marie – pour rien, mon garçon, pour rien, – mon enfant pauvre Ti Jean, sais tu mon âme que tu est destinez d'être un homme de grosses douleurs et talent -ca aidra jamais vivre ni mourir, tu va souffrir comme les autres, plus – [...] O les pauvres Duluozes meur toutes! – enchaînées par le Bon Dieu pour la peine - peut être l'enfer[22]!*

Kerouac va, bien sûr, souffrir, et ce à partir du moment où meurt Gérard car, étant le frère cadet de celui que la famille et les religieuses ont presque canonisé sur son lit de mort, Ti Jean s'oblige à marcher dans les traces de Gérard, tout en ressentant sa propre indignité devant cette tâche.

Avec le temps, Kerouac, toujours obsédé par la religion, devient, selon lui-même, un "étrange mystique catholique solitaire fou"[23]. Bientôt, il commence à avoir des visions. Vers l'âge de huit ans, il voit

---

20 BOYER, Révérend Onésime-A., *Couronnée d'épines: Marie-Rose Ferron (1902-1936) surnommée "la petite Rose", stigmatisée de Woonsocket, R.I.* Montréal, l'auteur, 1941.

21 KEROUAC, Jack, *Visions of Gerard*, p. 10.

22 KEROUAC, Jack, *Doctor Sax*, pp. 118-120.

23 KEROUAC, Jack, *Lonesome Traveler*, vi.

un film catholique des années 1920 dans lequel une statue de Sainte
Thérèse de l'Enfant-Jésus tourne la tête et cela l'inspire à écrire que

> Nous avions chez nous une statue de Ste Thérèse – sur la
> rue West je l'ai vue tourner la tête vers moi – dans la
> noirceur. Plus tôt, aussi, les horreurs du Christ des
> mystères de la Passion enveloppé de ses linceuls et
> vêtements du sort le plus triste de l'homme sur la Croix
> Pleurant pour les Voleurs et pour la Pauvreté – il était
> au pied de mon lit le poussant un samedi soir sombre [...]
> soit Lui ou la Vierge Marie penché avec profil
> phosphorescent et horreur poussant mon lit[24].

Il mentionne aussi une autre source d'inspiration à son
mysticisme, un endroit bien connu à Lowell, c'est-à-dire le chemin de
croix et la grotte qui se trouvent dans la cour de la *Franco-American
School*, autrefois un orphelinat, encore aujourd'hui sous la direction
des Soeurs Grises.

> La Grotte [...] appartenait à l'orphelinat au coin de la rue
> Pawtucket et de la rue School au bout du pont White -
> leur cour est une grande Grotte, raffolante, vaste,
> religieuse, les Douze [*sic*] Stations de la Croix, douze
> [*sic*] petits autels individuels rangés, vous y allez
> devant, vous vous agenouillez, l'air rempli de tout sauf
> l'encens [...] au point culminant, était une pyramide
> gigantesque de marches sur laquelle la Croix elle-même
> s'élevait de façon phallique avec son Pauvre Fardeau le
> Fils de l'Homme tout embroché dans son Angoisse et sa
> Peur - sans doute cette statue remuait dans la nuit [...] [25]

Kerouac porte une attention toute spéciale à la première station,

---

24 KEROUAC, Jack, *Doctor Sax*, p. 4.

25 *Ibid.*, pp. 122-23. Au XIXe siècle, la partie principale de l'orphelinat servait
de résidence à la famille Ayer, dont une des filles a épousé le Général George S.
Patton, un des chefs des forces armées américaines en Europe durant la
deuxième Guerre mondiale. En passant, on doit noter que Kerouac se trompe
lorsqu'il s'agit du nombre de stations de la croix: il y en a quatorze.

"Jésus est condamné à mort", tout en remarquant que derrière, dans le lointain, se trouve un salon funéraire. Il s'agit du salon funéraire Archambault, rue Pawtucket, où le destin voudra qu'un jour la dépouille mortelle de Jack Kerouac soit exposée. De fait, Kerouac s'inquiète de la mort, qui pour lui évoque à la fois des sentiments de crainte et de respect. Tout d'abord, la mort de Gérard le hantera pendant sa vie entière. Ensuite, il ressent de la terreur à chaque fois qu'il doit traverser le pont de la rue Moody, à Lowell, endroit reconnu pour le suicide et là où un membre de sa famille a déjà au moins tenté le coup. C'est bien sur ce pont que Kerouac, durant sa jeunesse, voit tomber mort devant lui un homme portant un melon d'eau, souvenir qui ne le quittera jamais:

> La pleine lune ce soir-là était la lune de la mort. Ma mère et moi, nous tournions le coin des rues Pawtucket et Moody [...] et nous marchions sur les planches du pont de la rue Moody [...] Un homme portant un melon d'eau nous a passés [...] Tout à coup l'homme a tombé, nous entendions le coup sourd de son melon d'eau sur les planches et nous le voyions par terre [...] (*"Il's meurt"*, dit ma mère) [...] *"Non, s't'homme la est fini"* – *"Regard – l'eau sur les planches, quand qu'un homme s'meurt ils pis dans son butain, toute part"* [...] La pleine lune me horrifiait avec son mauvais regard assombri. *"Regard, la face de skalette dans la lune"!* crie ma mère[26].

Kerouac semble vouloir éviter la mort, sa propre mort, mais en même temps, il reconnaît que, pour lui, un tel sort, accompagné de souffrances, est le seul moyen de faire son salut. Alors, assez tôt, il commence à se suicider de façon lente et tourmentée, menant une vie dure et mouvementée, alimentée par l'alcool et par la drogue.

Malgré ces idées lugubres et déprimantes, Kerouac trouve dans la religion un soulagement et une tranquillité de l'âme. Par exemple, il croit fermement que le salut de l'être humain dépend, outre la souffrance, de la prière et de la méditation. Au moins une fois, il fait allusion au fait qu'il prie en français, lorsqu'il dit "Mon Jésus" au pied d'un crucifix dans une église au Mexique. Toute personne élevée à prier

---

26 *Ibid*, pp. 127-29.

dans une langue en particulier peut apprécier le malaise qu'éprouvent certaines gens dès qu'on les oblige à réciter des prières dans une autre langue. Or, chez Kerouac, qui se déplace souvent de son milieu habituel, la prière en français doit apporter beaucoup de consolation spirituelle. De plus, c'est par la voie de la méditation que Kerouac se rend compte de la validité de son art. Au cours d'un bref séjour à Lowell en 1954, il fait une visite à l'église Sainte-Jeanne-d'Arc où, en méditant, il établit un rapport entre les mots *beat* et béatifique:

> [...] Je me lasse d'essayer d'envisager les conséquences de la *Beat Generation* [...] Ce n'est que dans le calme de l'église Sainte-Jeanne-d'Arc en cette grande journée du 21 nov. 1954 que j'ai vu: "La Beat*ific Generation*"[27]

Pour la première fois donc, Kerouac voit la *Beat Generation*, autrement dit son activité littéraire, comme une mission sacrée. Mais, bien auparavant, il s'était tourné vers la religion pour y chercher un appui. Cette fois c'est le Révérend Père Armand Morissette, surnommé *Father Spike*, qui l'encouragera à poursuivre une carrière littéraire. C'est au presbytère Saint-Jean-Baptiste, rue Merrimack, dans le Petit Canada de Lowell, que Kerouac, étudiant à la *Lowell High School*, demande conseil à *Father Spike* lorsque ceux autour de lui, parents et amis, se moquent de lui à cause de son aspiration à devenir écrivain. En lui disant de ne leur prêter aucune attention et de poursuivre ses rêves et ses buts, *Father Spike* deviendra l'ami et le conseiller de Kerouac jusqu'au décès de ce dernier[28].

L'entreprise de Léo Kérouac, la *Spotlight Print*, continue de prospérer en dépit du fait qu'on est en plein milieu de la Dépression économique des années 1930. Cela permet au père de Jack de louer pour lui-même et sa famille des maisons unifamiliales à Centralville

---

27 KEROUAC, Jack, *Book of Dreams*, p. 159.

28 MORISSETTE, Révérend Père Armand *Spike*, "A Catholic's View of Kerouac" dans *Moody Street Irregulars*, no 5, été/automne 1979, pp. 7-8 et "Jansenism and Jack Kerouac" dans *Moody Street Irregulars*, nos 6/7, hiver/printemps 1980, p. 19. Voir également CHARTIER, Armand et CHARTIER, Catherine Rivard, *Legacy: A Biography of Rev. Armand "Spike" Morissette, O.M.I.* Boston, Works-In-Progress Press, 1985, surtout les pp. 52-54.

et plus tard à Pawtucketville, un autre quartier de Lowell à forte population franco-américaine. Cependant, avec le temps, Léo contracte des dettes de jeu et, en 1938, les circonstances l'obligent à vendre son imprimerie pour aller travailler aux presses des frères Sullivan de Lowell. Conséquemment, les Kerouac doivent déménager et s'établir là où le loyer est abordable, c'est-à-dire, dans des maisons multifamiliales. D'une de celles-ci, Jack écrit:

> Jacky Duluoz habitait là-haut un appartement de maison à rapport, sur un autre coin, où le centre commercial de Pawtucketville semblait toujours être le plus animé, près du comptoir à sandwiches, en face de la salle du jeu de quilles, de la salle de billard, à l'arrêt d'autobus, près du grand marché de viande, avec un terrain vacant des deux côtés de la rue où les enfants jouaient leurs jeux tristes dans les mauvaises herbes brunes du crépuscule hivernal [...] Il demeurait avec sa mère, son père et sa soeur; avait une chambre à lui seul, avec fenêtres au quatrième étage desquelles on pouvait contempler des mers de toits [...][29]

Ailleurs, dans un ton un peu plus sombre, il décrit ce même immeuble, situé alors dans la rue Moody, le nom ayant changé deux fois depuis, pour l'avenue Textile et maintenant l'avenue University:

> Quelques-uns de mes rêves tragiques de la rue Moody Pawtucketville un Samedi Soir Spectral [...] de petits enfants sautant parmi les poteaux de fer de la cour en goudron ridé, criant en français – Dans les fenêtres les mères surveillent avec commentaires d'un humeur pervers *"Cosse tué pas l'cou, ey"?* En quelques années, nous déménagions au-dessus du *Textile Lunch*, scène de bifteck haché graisseux avec oignon et *katchup*; cet horrible appartement de balcons s'écroulant dans mes rêves [...][30]

---

29 KEROUAC, Jack, *Maggie Cassidy*, p. 20.

30 KEROUAC, Jack, *Doctor Sax*, p. 13.

Certes, il est à peu près temps que Jack quitte Lowell. Or, il rêve de devenir vedette de sports à la *Lowell High School* afin d'améliorer ses chances d'obtenir une bourse d'études dans une grande université – là où il pourrait se préparer pour son métier éventuel – l'écriture. En lui-même, ce désir marque un départ significatif de l'attitude de la plupart des enfants d'immigrés de l'époque. Le plus grand nombre ne terminent pas leur cours secondaire. Kerouac se distinguera comme athlète et surtout comme vedette de football américain. A l'occasion du Jour de l'Action de Grâces, en novembre 1938, lors de la plus importante partie de football de la saison entre les équipes de Lowell et de la ville voisine, Lawrence, Kerouac marquera les seuls points, remportant ainsi une victoire éclatante, à la fois pour lui et pour son équipe.

En dépit de son ambition, Jack Kerouac, issu d'un groupe ethnique qui se croit destiné à occuper une position inférieure dans la société en général, est mal préparé à faire face au succès, à l'éloge et à la gloire. Devenu héros public, presque du jour au lendemain, il ressent beaucoup de gêne, tel qu'il le décrit dans son premier roman:

> Les gens le passaient sur la rue et Peter les regardaient fixement avec étonnement. Maintenant, son nom leur était connu, il leur était connu lui-même; [...] Ils ne savaient pas qui il était, lorsqu'il les passait sur la rue. [...] Il se dépêchait à se rendre chez lui, et se réjouissait parce que personne ne s'était aperçu de lui. Tout à coup il désirait que dorénavant on ne s'aperçoive plus de lui [...] Lorsqu'il avait traversé le pont White et qu'il s'était hâté vers sa demeure, les gens commençaient à s'apercevoir de lui sur la rue, [...] Mais pourtant, il se sentait comme s'il avait presque trahi tous ceux qu'il connaissait en ayant accompli de grands tours de force qui exigeaient leur silence et leurs éloges, leur crainte respectueuse et leur gêne[31].

A ce moment-là, il ne s'en rendait peut-être pas compte, mais il allait passer le reste de ses jours ainsi, incapable de composer avec son image publique et son succès. Ses performances athlétiques lui

---

31 KEROUAC, Jack, *The Town and the City*, p. 82.

avaient valu une bourse d'études à la *Horace Mann Prep School* et à la *Columbia University* de New York, où une blessure subie au football avait mis fin à la bourse et, bientôt après, à sa scolarité. Cependant, c'est à *Columbia* qu'il fait la connaissance d'autres futurs écrivains avec qui il va collaborer à une révolution littéraire, historique et sociologique. Signalons qu'à part William Burroughs et deux ou trois autres romanciers et poètes qui proviennent de familles anglo-américaines, les membres de la *Beat Generation* appartiennent tous, comme Kerouac, à un groupe ethnique: Allen Ginsberg, Peter Orlovsky, Neal Cassady, Gregory Corso et Lawrence Ferlinghetti, pour ne citer que ceux-là.

Je n'insisterai pas sur la carrière littéraire de Jack Kerouac, car il s'y trouve matière pour maints autres essais. Disons tout simplement qu'il s'établit à New York avec sa famille, qu'il voyage fréquemment à travers l'Amérique du Nord, l'Europe et l'Afrique du Nord, tout en écrivant une dizaine de romans qui demeureront inédits pendant très longtemps, qu'il en écrira moins après être devenu célèbre, qu'il se marie trois fois et que, jusqu'à ce qu'il rende le dernier souffle, il poursuit sa quête du salut éternel. Il importe aussi de mentionner que malgré son côté anglo-saxon et *beat*, son écriture en anglais, son intérêt pour le bouddhisme et son image de coureur de bois contemporain, Kerouac demeure profondément attaché à ses origines franco-américaines, à la langue française, au catholicisme et au foyer familial. De fait, lorsqu'il n'est pas "sur la route", il retourne toujours chez sa mère, veuve depuis 1946, où il peut se retremper dans son milieu franco-américain. Il visite le Québec et la France, gardant ainsi un contact avec les patries de ses ancêtres. Regardez son visage, écoutez-le parler dans des films d'archives, notamment dans une entrevue au *Sel de la Semaine* à Montréal en 1967, où il parle français, vous verrez des gestes, vous entendrez des expressions, des intonations et un accent qui font écho à ceux qu'on entend encore aujourd'hui dans les Petits Canadas de la Nouvelle-Angleterre. Cela démontre bien à quel point Kerouac reste Franco-Américain et qu'il apporte avec lui, partout où il va, le bagage culturel de sa jeunesse à Lowell.

Se croyant indigne de son propre succès littéraire et étant incapable de vivre en harmonie avec le monde en général, Kerouac se dirige graduellement et prématurément vers la mort. Sa vie privée et sa carrière ressemblent un peu, au moins de cette façon, à celles d'une de ses compatriotes, elle aussi une personne marginale et prise entre deux cultures. Il s'agit de Grace DeRepentigny-Metalious, Franco-Américaine, originaire de Manchester, New Hampshire. Son roman de moeurs, *Peyton Place*, fait sensation en 1956 et lui taille une réputation internationale. Son côté franco-américain ne paraîtra que dans son dernier roman, *No Adam in Eden*. Elle y raconte l'histoire de plusieurs générations de sa famille, du Québec à Manchester. Elle meurt d'alcoolisme en 1964, âgée de trente-neuf ans[32].

Atteint surtout d'alcoolisme, Kerouac arrive au bout de sa route à Saint Petersburg en Floride, le 21 octobre 1969, à l'âge de quarante-sept ans. Dans la mort, son corps fait un retour aux sources vers la ville où, malgré lui, son âme était toujours demeurée. Exposé tout d'abord au salon funéraire Archambault, où a lieu sans doute la première rencontre des parents et amis de Lowell d'un côté et des personnalités du monde *beat* de l'autre, Kerouac est transporté à l'église Saint-Jean-Baptiste, qu'il appelle "une massive cathédrale de Chartres des taudis"[33], où son ami et conseiller spirituel, *Father Spike*, chante ses obsèques et lui rend un dernier hommage.

En Franco-Américanie, ou du moins chez ceux qui connaissent l'oeuvre de Kerouac, car bon nombre de Franco-Américains, même à Lowell, n'en savent absolument rien, sa mort suscite des réactions mixtes. Par exemple, dans un long article à la fois élogieux et analytique, le professeur et poète Paul-P. Chassé appelle Kerouac le "plus grand romancier franco-américain", tout en déclarant que

> [...] la pensée de Kerouac, elle, ne devrait pas nous échapper: son message devrait se faire entendre tant dans nos esprits que dans nos coeurs car il a dit ce que plusieurs parmi nous avons pensé, avons ressenti, avons désiré... sans jamais l'avoir exprimé [...] [34]

---

32 METALIOUS, Grace DeREPENTIGNY-, *Peyton Place*. New York, Julian Messner, Inc., 1956, et *No Adam in Eden*. New York, Trident Press, 1963.

33 KEROUAC, Jack, *Maggie Cassidy*, p. 52.

34 CHASSE, Paul-P., " Jack Kerouac 1922-1969" dans *Le Canado-Américain*, vol. 6, no 1, janvier-février-mars 1970, p. 20.

En revanche, ailleurs, une notice nécrologique de sept lignes et demie, parue dans une publication officielle franco-américaine, qualifie Kerouac ainsi: "un excentrique malgré la popularité de certains de ses volumes". L'article conclut comme suit:

> Nous publions cette notule simplement pour prévenir les critiques de ceux qui ignorent que Kerouac n'a jamais été intéressé à notre vie franco-américaine même s'il en était. Il était âgé de 47 ans après une existence un peu spéciale[35].

Aujourd'hui, Jack Kerouac continue de vivre à travers ses livres ainsi que dans l'esprit de ceux et celles qu'il inspire. Tout d'abord, il vit dans la personne de sa fille unique, Janet Michelle Kerouac, qui semble vouloir marcher dans les traces de son père, ayant déjà publié deux volumes, *Baby Driver* et *Trainsong*[36]. Dans les collèges et universités du monde entier, on étudie l'oeuvre de Kerouac. De plus, maints livres et quelques films documentaires traitent de sa vie et de sa carrière. A Clarence Center dans l'Etat de New York, Joy Walsh publie une revue, *Moody Street Irregulars: A Jack Kerouac Newsletter*. En 1984, à Québec, on fonde le Club Jack Kerouac, qui a organisé, en octobre 1987, une Rencontre internationale Kerouac. En 1985, dans la ville natale de l'auteur, on crée la *Corporation for the Celebration of Jack Kerouac in Lowell*, qui fait vivre sa mémoire de diverses façons: soirées littéraires, expositions, visites bilingues de lieux kerouackiens. En juin 1988, la Corporation réalise un de ses buts principaux: l'érection d'un parc avec une série de monuments sur lesquels on a gravé plusieurs extraits des meilleurs écrits de Kerouac.

Au moment de son décès, Kerouac avait confié aux soins de sa troisième épouse, Stella Sampas-Kerouac, un nombre indéterminé d'ouvrages inédits. Malgré la publication posthume de deux romans, d'un livre de poésies et de quelques plaquettes contenant des contes ou des poèmes, le reste demeurait entre les mains de sa veuve qui,

---

35 Anonyme, "Jack Kerouac" (nécrologie), *Bulletin de la Société historique franco-américaine 1969*, nouvelle série, vol. XV, Manchester, N.H., Imprimerie Ballard Frères, 1970, p. 145.

36 KEROUAC, Jan, *Baby Driver*. New York, St. Martin's Press, 1981; *Trainsong*. New York: Henry Holt and Comapny, 1988.

jusqu'au moment de sa propre mort, protégera fidèlement les manuscrits de son époux. Personne n'y aura accès. Gerald Nicosia, un des biographes de Kerouac, mentionne une nouvelle composée entièrement en français[37]. Se trouve-t-elle parmi ces écrits mystérieux? De toute façon, depuis le décès, en février 1990, de Stella Sampas-Kerouac, ce n'est qu'une question de temps avant que les chercheurs et les autres lecteurs de Kerouac apprennent quelles surprises les attendent.

Jack Kerouac repose au cimetière Edson, dans le lot familial des Sampas, où on peut lire l'épitaphe suivante: "TI JEAN - JOHN L. KEROUAC - MAR. 12, 1922-OCT. 21, 1969 - HE HONORED LIFE".

---

37 NICOSIA, Gerald, *Memory Babe: A Critical Biography of Jack Kerouac.* New York, Grove Press, Inc., 1983, pp. 425-426.

BIBLIOGRAPHIE

Anonyme, "Jack Kerouac" (nécrologie), *Bulletin de la Société historique franco-américaine 1969*, nouvelle série, vol. XV, Manchester, N.H., Imprimerie Ballard Frères, 1970, p. 145.

BEAULIEU, Victor-Lévy, *Jack Kerouac: essai-poulet*. Montréal, Editions du Jour, 1972, 236 p.

BOYER, Révérend Onésime-A., *Couronnée d'épines: Marie-Rose Ferron (1902-1936) surnommée " la petite Rose"*, *stigmatisée de Woonsocket, R.I*. Montréal, l'auteur, 1941, 234 p.

CHARTIER, Armand B., "The Franco-American Literature of New England: An Overview", dans W. T. Zyla et W. M. Aycock, éd., *Ethnic Literatures since 1776: The Many Voices of America*. Lubbock, Texas Tech Press, 1978, vol. I, pp. 193-215.

CHARTIER, Armand B. et CHARTIER, Catherine Rivard, *Legacy: A Biography of Rev. Armand "Spike" Morissette, O.M.I*. Boston, Works-In-Progress Press, 1985, 118 p.

CHASSE, Paul-P., "Jack Kerouac 1922-1969" dans *Le Canado-Américain*, vol. 6, no 1, janvier-février-mars 1970, pp. 16-20.

KEROUAC, Jack, *The Town and the City*. New York, Harcourt Brace Jovanovich, nouvelle édition, 1978, 499 p.

___*On the Road*. New York, Signet, nouvelle édition, s.d., 254 p.

___*Doctor Sax. Faust Part Three*. New York, Grove Press, 1959, 245p.

___*Maggie Cassidy*. New York, McGraw-Hill, nouvelle édition, 1978, 194 p.

___*Lonesome Traveler*. New York, McGraw-Hill, 1960, 183 p.

___*Book of Dreams*. San Francisco, City Lights Books, nouvelle édition, 1976, 184 p.

___*Visions of Gerard*. New York, Farrar, Straus & Co., 1963, 152 p.

___*Desolation Angels.* New York, G.P. Putnam's Sons, nouvelle édition, 1978, 366 p.

___*Satori in Paris.* New York, Grove Press, nouvelle édition, 1978, 118 p.

___*Vanity of Duluoz. An Adventurous Education.* New York, G.P. Putnam's Sons, nouvelle édition, 1978, 280 p.

___*Visions of Cody.* New York, McGraw-Hill, 1972, 398 p.

___"Une lettre inédite de Jack Kerouac", présentation par Michel Lapierre, dans *Le FAROG Forum* (Orono, Maine), vol. 11, no 8, mai-juin 1984, p. 15.

KEROUAC, Jan, *Baby Driver.* New York, St. Martin's Press, 1981, 208 p.

METALIOUS, Grace DeREPENTIGNY-, *Peyton Place.* New York, Julian Messner, Inc., 1956, 372 p.

___*No Adam in Eden.* New York, Trident Press, 1963, 312 p.

MORISSETTE, Révérend Père Armand *"Spike,"* "A Catholic's View of Kerouac", dans *Moody Street Irregulars*, no 5, été/automne 1979, pp. 7-8.

___"Jansenism and Jack Kerouac", dans *Moody Street Irregulars*, nos 6-7, hiver/printemps 1980, p. 19.

NICOSIA, Gerald, *Memory Babe: A Critical Biography of Jack Kerouac.* New York, Grove Press, 1983, 767 p.

SORRELL, Richard S. " Kerouac's Lowell: 'Little Canada' and the Ethnicity of Jack Kerouac" dans *Essex Institute Historical Collections*, vol. 117, no 4, octobre 1981, pp. 262-82.

WOOLFSON, Peter, "The French-Canadian Heritage of Jack Kerouac As Seen in His Autobiographical Works" dans *Louisiana Review*, vol. 5, no 1, été 1976, pp. 35-43.

Part Two
Deuxième partie

Tsi Gars

David Plante

[David Plante and I were both born in Rhode Island, both raised in one of New England's Franco-American parishes. We both attended a parochial school, learning to pray in French, hearing and speaking French at home. We have both lived abroad – he chose London, I chose Paris – but there the similarities end, for he is a well-known novelist whose books have been critically acclaimed while I, in a sense, have come home again, back to New England to live once again in a mill city. Luckily, however, I am involved in an enterprise which makes it possible for me to invite David to come home again also, if only for a brief while, and to bring him before an audience composed largely of his people. We are the larger Francoeur family. This too is his "Country." The "Woods" are just a few miles down the road. We are not one of the seven Plante brothers, but David is one of us. Dear family, our Cousin David.] Claire Quintal

I often asked my father about the ancestry of our family. He always answered that he didn't know much beyond his grandparents. I kept asking him, hoping my asking him would remind him of something he'd forgotten. He rocked back and forth in his rocking chair in the kitchen, his head held high, as if trying to recall, but his answer was that he didn't know.

I wasn't sure he was interested. For my father, no other people of any importance existed on the Continent of North America but Francos – Francos and, as strange bed-fellows, members of the Republican Party – but he didn't seem to be interested in the history of the Francos.

I asked, "You don't know when the Plantes came from France?"

"No, *tsi gars*," he answered.

"Or from where in France?"

"No, *tsi gars*."

Perhaps it had never occurred to him to wonder. Why this was so, and why I did wonder, would, I think, account for more than a difference between us as personalities, it would account for the difference between us as belonging to different generations. Why wasn't my father interested in his deep past? I will leave many questions as I go on, hoping that if they go unanswered they will at least open windows of the little clapboard house we Francos live in onto the great woods from which that house came, was cut from, sawed up in, hauled out of, built of, from pine beams to shingles; that old house whose attic, in the hot summer, always smelled of pine trees, and whose beams and joists still exuded, years and years after the house was finished, tears of resin. The fact is, we hardly ever think of the woods from which our house came.

I don't understand why my father wasn't interested, but I can suggest why I was. I say "suggest", because one never understands anyone, not even oneself some thirty years back. This is my suggestion: I grew up in a small Franco-American parish in Providence, Rhode Island, called *Notre Dame de Lourdes*. *M. le Curé* couldn't speak English, only French. Many of the nuns at the parish school I went to could only speak French. My paternal grandmother never learned English, nor did the cobbler to whom we took our shoes to be repaired and our iceskates to be sharpened. But, really, I didn't grow up in a *Petit Canada* – that is, in a mostly Franco neighborhood. There was such a neighborhood, close to the church, where my father grew up. But shortly after he married, he and my mother and their first three children moved to a new house a ten-minute walk from the church, at the then edge of the city of Providence, where new houses were being built on lots. My mother once told me that when they moved in to their house, beyond it were farms, country side and woods. I recall, when I was a boy in that house, empty lots in which the neighborhood gangs played. Some of the lots, like the one right next to our house, still had trees, and on summer nights, when the glass window was open and shadows of trees were cast on the window screen, I was terrified of that small lot of woods. In bed at night, I sometimes shouted out, and my mother or father would come to my room, take me to the window to look, and say, "There's no one out there. There's nothing there." I recall the fresh night-time smell of the air through the screen – a smell of wild roses that grew along the boundary between our narrow yard and the trees and of some other, acrid smell, perhaps shunk cabbage, or skunk, which I thought of as *bête puante.* But I recall, more than anything, the still trees and the moonlight through the trees, and my frightened sense that, among the old rusted automobile fenders and tires dumped in those woods, there were people who, when I was alone in my room, came up to my window and looked in. My parents couldn't convince me that they weren't there. Those people were hiding. As I grew up, all the empty lots were built on. I watched, from my bedroom window, a bulldozer come and clear the little woods next door. I didn't mind, because by this time it had become just a dumping ground, and all the invisible people who had inhabited it were gone.

But what I wanted to say is that, though I did go to the parish church and school, I was brought up outside the parish. All our neighbors, Irish and Italians mostly, were also brought up outside their parishes. As soon as we got back from our respective parish schools, we'd change from our school clothes–uniforms for the girls, ties with long-sleeved shirts for the boys – into overalls, and we'd meet outside to play. We were all Catholic, but we were different nationalities. Virginia was Italian, Ilene was Irish, and I was French.

Virginia's grandmother could only speak Italian. We, the gang, were often invited in, and while we sat around the kitchen table and drank minuscule glasses of wine and ate thin slices of cake, Virginia's mother translated for us stories her old mother recounted of Italy. One story was about an accident in a Roman ruin, where she had once played, and a stone fell on her. This story was meant to warn us to be careful while we played, though there were no Roman ruins in Providence. Ilene's father and mother drank beer. Her grandmother didn't. We weren't given anything to eat or drink in Ilene's house, but her grandmother, with a brogue, told stories about Ireland. She had kissed the Blarney Stone and she recalled the green of the hills. My friends' parents – or most of them – were born in old countries, and they remembered these old countries. They had relations living there. My suggestion as to why I wanted to know where My family came from is that I was envious of my friends for knowing where theirs came from, and I wanted to know.

Here is another question: Why was I envious? Why were my friends' cultures dominant to such a degree that they revealed how base my own culture was? My parents didn't drink, certainly not wine, but not even beer. I wanted to have played in a Roman ruin, to have kissed the Blarney Stone amidst the green hills of Ireland. I wanted an old country.

Was my old country Canada? My father was born there, and was taken by his parents to Providence when he was two years old. He had many relatives there. Though he never went, my aunts and uncles did, to visit those relatives. But Canada wasn't really the old country.

My friends were first-generation Americans, and I, by association with them, also took myself as a first-generation American. This was, in fact, an expression I had heard my older brothers use about themselves. We were, as a family, first-generation Americans.

Canada was not America. More to the point, Canada hardly existed. Canada was nowhere.

Italy existed, Ireland existed. I had some claim, some distant claim, to make on France. Perhaps France was my old country.

But I must confess a France existed for me that was essentially different from the way the old countries of my friends existed for them. It did not at all exist in terms of personal experience of anyone I knew in my family. It was beyond recall. (My aunt Cora, whom I call *Tante* Oenone in my novels, once told me she had heard of an ancestor, a woman, who arrived from France possessing only a pair of lace gloves and an ivory fan, and my imagination worked on that a lot.) My France existed in my fantasy, a fantasy formed almost entirely by reading about France. When, in my late teens, I read Chateaubriand, I fantasized about coming from St Malo. When I read Balzac, I fantasized about being a provincial in Paris. France was my invention.

When, finally, I went to France, in 1959, at 19, I looked for connections. I found very few, but I did find some in church. But the most exciting occurred while, in the Luxembourg Garden, I was reading *Les Chouans* by Balzac, and, a short way into the novel, I came across a word that made all my attention quicken. My father often called his sons "gars", or "tsi gars", and I had thought that expression originated with him, or at least in the parish. I didn't know what it meant anymore than I knew what my name meant. I read (the translation is mine):

The word *gars*, pronounced gâ, is a remnant of the Celtic tongue. It has passed from Low Breton into French, and is, in our present language, the one word which most reverberates with the past. The *gais* was the principal arm of the Gaels or Gauls; *gaisde* meant armed; *gais*, bravery; *gas*, strength. These parallels prove that the word *gars* originated in the expressions of our ancestors. The word has an analogy with the Latin word *vir*, man, the root *virtus*, strength, courage. Patriotism justifies this dissertation, which will, perhaps, rehabilitate, for some people, the words: *gars, garçon, garçonette, garce, garcette*, generally banished from discourse as unseemly, but whose origin is so warlike, and which occur here and there in the course of this history. "She's a famous *garce* (wench)" is a not well-understood expression of praise which *Mme* de Stael got in a little canton of Vendômois where she spent a few days in exile. Brittany is, of all France, the country where the Gaulish customs have left the strongest imprint. The parts of that province where, up to our day, the savage life and superstitious spirit of our crude ancestors have remained, as it were, most flagrant, is called the country *des Gars*. When a canton is inhabited by a number of savages similar to those who have appeared in these pages, the people of the country say: *Les Gars* of such and such a parish, and this old name is like a reward for the fidelity with which they strive to preserve the traditions of the Gallic language and ways; moreover, their lives retain deep vestiges of the beliefs and superstitious practices of ancient times. There, the feudal customs are still respected. There, antiquarians discover Druid monuments still standing. There, modern civilization is frightened to penetrate through the immense, primeval forests. An unbelieveable ferociousness, a brutal stubbornness, but also faith in oaths; the complete absence of our laws, of our language, but also the patriarchal simplicity and heroic virtues, make of the inhabitants of this country people as intellectually poor as are the Mohegans and Redskins of North America, but as lofty, as cunning, as hard as they. The place which Brittany occupies in the centre of Europe makes it a greater curiosity than Canada. Surrounded by an enlightenment whose healing warmth does not penetrate, this country is like a frozen piece of coal which remains hidden and black in the bosom of a bright hearth.

The frozen piece of coal in my bosom suddenly glowed. I was, I felt, in touch with my ancestry. But it wasn't France I felt connected to, it was Canada.

A couple of years ago, I received a genealogical list from an aunt of mine in Rhode Island which had been sent to her by one of those mysterious relatives–an uncle three or four times removed–who still lives in Canada. He had sent it to me, as he'd heard I was a writer and might be interested. His name, Lajoie, is the maiden name of my paternal grandmother, the daughter of a fur trader and a Blackfoot Indian. Her genealogy went back pretty far, to 1709, but that of my paternal grandfather, Anaclet Plante, after whom my father was named, went back even further, to 1650, when the marriage between Jean Plante and Françoise Boucher was recorded at *Notre Dame de Québec* on September the 1 of that year. Jean Plante's father, Nicolas, had died and was buried in France, at Lalleu, near La Rochelle, in May, 1647, and his mother, Isabelle Chauvin, in February, 1649. Jean had obviously come to America shortly after the death of his mother. My family, I was suddenly aware, had been in North America for a very long time.

By the way, I found, in this list, the name Francoeur, which I had chosen to be the name of my fictional family, which makes me wonder about my negative belief that nothing is inherited through blood but blood.

I was, I realized, not a first generation American, I was a tenth generation North American, and I would like to know what my family, who have been gathering forces for almost three and a half centuries, have to say to me. For ten generations, and, for my great-nieces and nephews, of which I seem to have an endless number, for twelve generations – we have been on this Continent. That is a long time for a great deal to happen – long enough, I'm tempted to say, for a new species of animal to have evolved.

My North American ancestry is like an unexplored forest to me, and yet I am a product of it. I am one of those strange animals who evolved in those vast forests, but who for years thought the strangeness was embarrassing and something to be hidden. And now, I think, it is exactly what I should as a writer centre on.

I would like to centre that strangeness – or, if you don't like the word strangeness, the uniqueness of what a Franco is, after having developed in what he made his own country over many, many years – on the heart of the Franco. It is a very difficult heart to see, however, and that is, to me, its attraction. It is not going to reveal its secrets easily. And it does have its secrets.

Everyone knows that the secrets of a culture are best kept in its language, but I, a Franco, consider that language too private to write in it, though I admire people who do. It is a rich language, including anglicisms which, I think, shouldn't be purged. It is, as my private language, somewhere below my public language, the English I write in. I never write "skunk" for example, without hearing an aunt talk about the smell of a *bête puante*. And whenever I see cranberries I think of the word we used at home: *"atacas"*. Many Franco words shine through the English, but I can't assume that this shine is seen by anyone who doesn't know the language, and that is, I'm afraid, a great many.

And yet, perhaps the greatest secrets aren't entirely closed to me. Like someone illiterate, which so many, if not all, of my ancestors were – *"qui n'ont su signer"* occurs often on copies of marriage and baptismal certificates I've seen – I must try to read the pictures, the images. And I must try to find those images that are most at the centre of my culture.

I say "centre," implying, perhaps, a kind of analytical study of Franco-American culture to try to reach some central understanding of it. I don't doubt that anthropological studies would reveal a great deal that I'm unaware of, but I'm not an anthropologist, I'm a novelist, which I sometimes think, however, is just a lazy anthropologist who doesn't want to do field research or construct arguments. My research is done in a chair, at my desk, with my eyes closed. I'll try to give an idea of how I work. My intention is to get to the heart of the Franco culture. Within that intention, I think of images, image after image, with no apparent connections among them, of what I recall or have heard about, or have dreamed about the world of the Francos. Often, totally incongruous images occur, like a man in striped pajama walking on stilts through puddles of water in the rain, which I have to clear my mind of, though, I must say, I like to have such images occur on their own. A big round table set with mis-matched plates and cups and saucers and Christmas *tourtières* and mash potato pies and platters of *tire* with walnuts and a glass bowl of oranges? Yes, but it's not, I feel, at the centre. Boiled maple syrup thrown on the snow to make it solidify into candy? That's rather picturesque, and I'm against what is merely picturesque. And so I go through a great number of images, sometimes over days and days. There is, I know, one image that is going to centre the true secret of the Francos. When it occurs, it will be while I am putting on a sock. This is the image that occurred to me: of a Mass celebrated in a clearing in the woods. The moment it occurred, I knew it opened the heart I was trying to look into. Not that it reveals the secret. It simply embodies it.

I am, I should say, an atheist. And yet I know that Franco culture means nothing if it is not centred on the Franco God. And I say "the Franco God" trying to identify a God as unique to us, I believe, as a God in whom a tribe has its own being, its identity. That ritual of the celebration of the Mass in the woods is the real manifestation of our Canuck God. He is, I am sure, as North American as Canada's forests. I don't believe in Him, but I feel an expansion of spirit in the contemplation of Him.

And the big question – the question that offers most possibility, most promise, to the Franco – is: Who is this God? We know Him, but we know nothing about Him.

He is at our centre, but it is as if He is in darkness. Is one of His attributes darkness? What are His attributes?

It would take a novel – many novels, I think – to try to come to some understanding of Him, but I think I can say now that He is not a false God, because He is an elemental God, like the woods from which our very houses are built.

Our North American pasts are our forests, pasts which disappeared into the forests, and we, I think, are so unaware, for whatever reasons, of those forests we hardly know they exist for us. As a writer, my desire is to go into them, not so much to claim a heritage as just to find out what that heritage is. My way of doing that is imaginatively, is to allow the most extravagant of images as long as I feel sincerely, with the same sense of the presence of what is larger than oneself when one is praying sincerely, that these images are true. And I'm sure the truest images will be found in the images of a religion that is everywhere hidden, like our ancestors, among the trees.

A Pearl of Great Price

Gerard Robichaud

[**Gerard Robichaud**, who had been invited to this colloquium to read from his work in progress, entitled *A Pearl of Great Price*, was unable to attend because of heart surgery. So as not to disappoint the audience, we were able to obtain the videotape of an interview of Gerard Robichaud, taped at SUNY Albany in the mid 1980s, thanks to funding from the National Endowment for the Humanities. The interviewer is **Dr. Eloïse Brière** of SUNY Albany. She was also the director of the project on Franco-Americans funded by the NEH. We reproduce the interview herewith with her kind permission.*]

E.B.   I was wondering if you could tell us a little bit about where your career is as a writer, Gerry, so that we could get a sense of what's been accomplished and what remains to be done.

G.R.   Well, as you know, I have published two books that deal primarily with Franco-American lives because I think that it's the kind of writing that really moves me, that makes me do my best. I have done other writing, but it never comes anywhere near propelling me like when I begin to think of my own Franco-American roots.

E.B.   And would you say that the two books that have been published and the one that you are working on are a result of this delving into yourself?

G.R.   Oh yes, very much. I have always wanted to write, of course. I always wanted to be a writer. I never wanted to be anything else.

E.B.   But you were writing in French.

G.R.   Yes.

---

* Our thanks also to David Fuller and VP Film and Tape Productions for their technical wizardry.

E.B.   Now, when did the transition to English occur, and why?

G.R.   Well, first of all, I lived in the United States for quite some time before I really seriously began to write, and I found that I had to learn to write in English because you can't be published in French in this country. It's too bad that I couldn't write in my own native language, but I find now, and I hate to say this out loud, I can express myself much better in English. I will always venture to say that the English language, for my purposes is a much more handy tool than the French language.

E.B.   Can you specify a bit more why this is so?

G.R.   The English language is a verb language. It is an action language. The French language to me – correct me if I am wrong – is more philosophical, it's a meditative, it's an introspective language. I would like to add two things here that just occurred to me. First of all, when I write about our Franco-Americans I am thinking in French most of the time.

E.B.   Interesting.

G.R.   And then I have to sometimes go to a French dictionary to find the English word. Not that I don't know the word, I am looking for the exact word. I am looking for the *mot juste*. And so I do this quite a lot.

I also believe that if you want to be a good writer in the English language, you have to be a student of the French language because you will have the discipline of clear thinking, of exact expression, of precision of words. You get this from the first language.

E.B.   I tend to sense from what you write, and the way people have reacted to reading your works, that you have presented a picture of Franco-American life in the 20s, 30s, 40s, before the Second World War that everyone seems to identify with or at least wants to identify with, even if they have had a negative Franco experience. They feel that what you have portrayed is so poignant and so rich and so warm, that to them this is really the way they want our past to have been. This may not be true of every experience.

G.R.   My experience was a happy one. I went to a good school, a good

Catholic school, a very excellent school, with some very backward ideas also, from which I have luckily escaped, but then after that I went to New York, and I have lived a very happy life in New York, a very liberating life in New York while the Depression was going on. And then the war came on. Some people would say that it is not a lucky thing to go to war. But I thought it was a wonderful experience and I regret none of it. Of course, some things were bad, but I didn't mind. I refused to let them bother me. Now some Franco-Americans have had some bad experiences, and they are bitter, and they are very angry about many things. And this should be written up too, this should be spoken of quite frankly for all to hear.

E.B.   You have lived in both places, in *Petits Canadas*, Little Canadas, in the ethnic neighborhoods, and what you seem to be saying is that maybe there is something in that neighborhood and in the parochial school experience that would tend to suppress creativity.

G.R.   I think that there was a sense that you were not good enough to make it. You are not given that kind of strength. It is inner strength to go ahead and do it on your own. But you discover this in a non-sectarian school, that they encourage you to be your own person, to be able to do something. There was some sort of a defeatist atmosphere when I was growing up. And since I was going to a seminary in Quebec, I was an American, when I was in Lewiston and a Canadian at school. But in a seminary at that time, in my particular *milieu*, I was somebody extraordinary. I was breaking the rules. I was doing something that nobody else was doing, that nobody else thought themselves good enough to do. I thought myself very good enough to do it. My father gave me that sense that I was important. And that is one thing for which I am grateful to him. He made me feel that I was important. So did my mother. Maybe there was not enough of that in other members of our family, but I would consider myself important, that I was going there. But this is something that I got from my parents. I never got it from the school at all, because the school was an *aplatissement*. They flatten you out, all to the same level.

E.B.   So you think that potential is almost suppressed, or not recognized in that kind of a system? We still apologize for who we are. We have no reason to. We have to tell our people – writers should tell our people, "You are important, just as good, just as deserving as anybody."

I think at one point, Gerry, you said that a writer must go home again, can you explain what you meant by that?

G.R. Robert Cormier, who is a famous novelist, said this once, "You can only keep your children by losing them for a while." In other words, the writer who wants to write about his own ethnic background has to move away from it in order to recapture it. He comes back with a fresh look on it. He comes back with a new way of looking at his own people, and at himself also.

E.B. What about this work that you are involved in? You said you had just completed it.

G.R. Yes, finished, 204 pages. It's the story of a man who comes from a very devout Franco-American Catholic family, and who has left the Church and who is now facing death. It could be that he might die when they landed there because the casualty rate on Iwo Jima was very high. Those of us who came back considered themselves lucky. We have had an extension, a life extension. And so he faces what a lot of Catholics today face about their faith. What should they believe? What should they not believe? How right is the Church? How right is my hero of this story? He comes from a very strong Catholic family and so far he has lived to please his family, because they really didn't expect him to do anything else but that. So now he wants to be himself, he is looking for freedom also. His fight is for freedom overseas, but he would like to fight also for some of his own freedom. And that is, in a sense, the theme of the book. He will go through this throughout the book. He will find his answer. He will find his *pearl of great price* at length in a foxhole with intense fighting going on around him. That is when he will come up with the answer. That is the story of the book. So he is placed in a crisis situation that finally produces a certainty of some kind...

If you dare, it is easy for a man or a person to make a decision in tranquility, without any crisis around. You can say what you believe. You can disbelieve anything. But in a crisis situation when you are facing possible death any minute and you have seen other people who have died over there, and you face this, this is when you say that what you believe at that time is what counts.

E.B. Can you imagine yourself writing a short story or a novel of something without religion in some form or another coming into the picture?

G.R. I cannot. Of course in the same context I think it has to be said, and I would like to say it, that your religious experience is an invaluable experience. It's an enriching experience; it is a wonderful experience. There is nothing like Christmas, Midnight Mass; nothing like some of the consolation that the Church brings to the family that has just had a death in it. Nothing like it. I just attended the funeral of my brother sometime in January and the Church contributes to this. And this is something that a writer has to say also. It's all very good to chastise, but you also have to reward when something good is done. And I think it should be stated that for me, my seminary experiences are the richest experiences I could ever have had.

E.B. Would you say there is a specific contribution that Franco-American writers can bring to American literature because you are saying, and others have said it too, that they can only write about the Franco-American experience. Someone like Kerouac wrote about it, but also wrote about other Beat experiences. What do you see the Franco-American contribution to American literature as being? I mean what is going to come from it? How is it going to expand or contract?

G.R. Well, if you write only as a Franco-American about Franco-Americans, you are not succeeding in what you should be doing as a writer. You should write about Franco-Americans in a Franco-American setting that appeals to the world. You should speak to the world and not only to your compatriots. My first book was reviewed by practically everybody but Franco-Americans, and it was wonderfully received, and I say this only because this was so. But it is only much later that Franco-Americans recognized my work. But I was not writing for them. People who have lived only in New York have read my books and they appeal to them. You have to write books for everybody. You can't write books for Franco-Americans. You have to write for the world.

E.B. Do Franco-Americans have something unique to bring to that total American literature? Is there a perspective there that is lacking now that can be brought in? We all know that when Kerouac started writing, he astonished his readers by that whole mystical side to him which was not all that much Eastern religion, but really the Franco-American Catholic experience that no one could quite identify at that time. So I think that may be one thing that Franco-American literature is bringing to the world.

G.R. My wife thinks that the Franco-American experience in this country, in the United States, is something that a lot of other people, a lot of ethnic groups and other people in this country should read and some of them who have read my books have absolutely no idea of the Franco-American experience. They have, for instance, some of the traditions that we have, that I have written about. They have found corollaries of their own. And some of the thinking is something that they have responded to. It is not just a Franco-American thing. It belongs to everybody. It is a part of the growth and development of this country.

[When the *Institut français* honored Gerard Robichaud with a Certificate of Merit, in 1990, he read the following statement about writers and writing to the gathered assembly.
Quand l'Institut français lui décerna son Certificat de Mérite en 1990, Gerard Robichaud partagea avec les invités ses pensées sur le métier d'écrivain.]

Je réfléchissais hier à ce dîner-gala et je me rappelais avec grand plaisir mes beaux jours, mes belles années au Séminaire de St-Hyacinthe. Ça fait longtemps de ça. Oui, j'avais bien jadis l'intention de devenir prêtre, mais j'ai changé de course.

Ça ce n'était pas de ma faute complètement – il y a beaucoup de choses qui ne sont pas de ma faute – mais c'est bien au séminaire que j'ai rencontré toutes sortes de compagnons qui sont devenus mes amis pour la vie – des amis précieux comme Molière, Virgile, Flaubert, Victor Hugo, Balzac qui, chacun à sa manière, me préparait pour apprécier plus tard Sinclair Lewis, Jane Austen, Dostoyevski, Hemingway, Thomas Wolfe et bien d'autres.

Et c'est pourquoi un beau jour je me suis décidé, moi aussi, d'essayer de devenir écrivain. C'était un peu audacieux, mais ce n'était pas un péché! D'autant plus que c'est une profession assez agréable, même si on ne nous gaspille pas avec beaucoup d'argent. C'est pourquoi je veux moi aussi honorer les écrivains de toujours.

Mais, afin de me faire comprendre par tout le monde et, pour honorer l'ancienne politesse de mes parents, je voudrais bien continuer de parler, non pas dans la langue de mon coeur, et de mon père et de ma mère, mais dans celle de ma vocation, c'est-à-dire, en anglais.

Reflections on the Writer and his Craft

The priest and the writer, particularly the novelist, have something in common, but I will not carry this thought too far. I do believe, however, that both vocations demand a natural, instinctive gift of compassion for the human condition and, above all, a special non-judgmental acceptance of people, as they are, and even more, the practice of the noblest faith I know, that all human persons may... and can... reach out... and up... and ever upward to become better than they'd ever hoped, or thought or knew they could or would be.

When I speak of writers here I do mean, men **and women**. For women have also suffered from writer's block, and they have also published great literary masterpieces. In fact, the publishing world has welcomed women earlier than have many other fields of endeavor. Looking to the bottom line, publishers discovered the simple wisdom of appreciating superior abilities, of promoting untapped talents and geniuses, without regard to color, creed, class, origin or gender.

Many writers know, and some would even admit it, that an asset of their profession is a carefully nurtured, and just as carefully concealed, giant-sized ego, one might even call it gall, that the world waits with baited breath for the memorable words that will come tap-tapping from his word processor. The cure for this Napoleonic complex is a warning on the blackboard of every creative writing class that reads: REMEMBER WATERLOO.

As he must, the writer works alone. It is the loneliest job in the world. Above all, however, pity his poor wife. Right now she has just found the milk container in the broom closet, and the well-thumbed Webster's Dictionary (the revised edition) gathering frost in the fridge. A recent review of the writer's latest novel has upset him a bit and that may be why this morning he tried to shave with Crest toothpaste.

However, a bit later, he very nearly avoided brushing his uppers and lowers with instant foam. By now, of course, his patient, ever-loving wife is once more suspicious that her writer-husband might be again pregnant – with book.

The average writer is wise enough not to take himself too seriously. Failure does not deter him, nor does success overwhelm him. At least, not right away. Only too well does he remember years of rejections in the form of little multi-colored slips from faceless editors. He also knows that one best seller can fool many of the people much of the time, but not everybody all the time, and sometimes not for long, and sometimes not at all at $22.85 a copy.

Most writers, at one time or other, have displayed tendencies to become grouchy. Robert Heinlein, author of *The Cat that Walks through Walls*, explains it this way: "There is no way that a writer can be tamed...or civilized. In a household with more than one person of which one is a writer, the only solution known to science is to provide the patient with an isolation room where he can endure the acute stages in private, and where food can be poked in to him with a stick. Because if you disturb the patient at such times, he may break out into tears or become violent or he may not hear you at all. And if you shake him at this stage, he bites..."

I remember one day when I was writing a book, as the TV whined, the vacuum cleaner groaned, and the phones rang, and my beloved wife chit-chatted of this and that, and then I growled in a low voice, "A little bit more of this, and I might just return to the seminary."

As we all do, the writer also grows older but, however, he must remain forever young at heart, forever fresh in outlook and still energized with the novelist's delusion that the world really began the day his first novel appeared, unannounced as most of them are, before an unsuspecting world. The novelist is neither man nor woman, *per se*, but he must be at one with both or either, a man for all seasons and all ages, a ventriloquist with the gift of tongues, the kind of person who will go that extra mile in the traditional Indian's moccasins all the better to get to know yet another human being. He needs to listen to your stories of joy and laughter, your eventful days and nights, the glad and the sad days of your life, of gladness, and sorrow also for, as Louis Veuillot said many years ago, "Only those eyes well-washed by tears can best see the anguish of others." And, one may add, to tell moving stories.

Whether he wants to or not, the writer hears many confessions. True, he does not grant absolution, and yet his is another process of psychic cleansing. This is not an easy task he takes upon himself, and he may fail here. More often than not, however, he will succeed if he manages to enter your subconscious, truly feel welcomed there with a good story told in the simplest of words, tug gently at your own memories and deeper emotions which, by the way, are pretty much yours and mine all the time, and trigger a spark of sudden recognition in your soul and heart, and rueful acceptance of your common identity, common joys, common grief, compassion and yes, relationship and responsibility for all your brothers and sisters of the human family under the Fatherhood of God.

The true writer, I do believe, has taken an oath, *in pectore*, or in public, to tell the truth, all the truth, and nothing but the truth and to be a recorded witness to it, especially against the powers that be, be they political, economic, bureaucratic, ideological, and may I add, theological.

My own favorite writers are those who, from time immemorial, have and continue today to be the traditional *maudite mouche-à-marde* who enunciate in polite society the impolite truth, especially when it is dressed to look fashionable, who stand in the public square, days in and days out, to perform the artist's basic mission: to afflict the comfortable, and to comfort the afflicted.

Yes, let us honor such writers!

At all great turning points in human history, they have been the voice of the voiceless, the cry of the helpless, the protest of the powerless under Fascist and Communist tyrants. Some of these voices have been that of clergymen-writers, fighters all, who with simple words, but brave words, at times and places most dangerous to life and limbs, have shouted again and again: "This is NOT right, This is NOT RIGHT, THIS IS NOT RIGHT!"

Such a voice in our own day is that of the President of Czechoslovakia, Vaclav Havel!

Yes, let us honor such writers, and celebrate such artists in all forms of communication, especially those, as in *The Trumpet and the Swan*, by E.B. White, "Only hope can carry us aloft, can keep us afloat, and a certain faith that the incredible structure that has been fashioned by this most strange and ingenious of mammals cannot end in ruin and disaster. This faith is a writer's faith, nothing else. And it must be the writer, above all else, who keeps it alive – choked with laughter, or with pain."

Mes chers amis, you have given me in a special manner a renewed sense of pride and joy in my own chosen vocation. In that spirit, I thank you again, and do so in the name of my brother and sister-writers, whom I love and respect, Francos and non-Francos, and all those writers who share the sweat and tears of the demanding but most gratifying of professions. *Encore une fois, merci de tout mon coeur!*

Un Mot de Chez-Nous

Normand-C. Dubé

[Présenter Normand Dubé, que je connais depuis nombre d'années et que je compte parmi mes amis, est franchement un peu désespérant parce qu'il m'a prévenu que le *curriculum vitae* qu'il m'avait envoyé, et qui compte une vingtaine, une trentaine de pages, est incomplet. Surmontant mon état de désespérance, je partage avec vous, néanmoins, quelques renseignements. Je dirai simplement, pour ne pas prolonger de façon indue, que M. Dubé, à mon avis, s'est mérité une place, depuis longtemps une place très sûre, dans l'histoire franco-américaine. Enseignant, administrateur, il a aussi été éditeur et poète. Comme éditeur, son activité a été innoubliable car il a surveillé la préparation et la publication de centaines de manuscrits. Parmi ceux-là, il y a surtout la réédition de nos vieux romans que personne n'avait vus depuis 30, 40 ou 75 ans; il y a aussi la publication de la grande *Anthologie de la littérature franco-américaine* de Richard Santerre et aussi les 8 ou 9 volumes du *Franco-American Overview*, presqu'une encyclopédie sur les Franco-Américains, rédigée par des dizaines de spécialistes, de collaborateurs venus d'un peu partout. Comme poète, Normand Dubé s'exprime lui-même, évidemment, mais il nous exprime aussi, nous ses "frères" comme dirait François Villon, ses frères et comme nous dirions aujourd'hui, ses frères et soeurs "humains" et c'est justement ce que je l'invite à faire *hic et nunc*.] Armand Chartier, professeur, Université du Rhode Island.

Premièrement, je vais lire un poème très court en anglais simplement pour vous rassurer que je parle anglais. L'identité franco-américaine vous la regardez. J'admire Rosaire Dion-Lévesque, j'admire son travail, mais je n'ai jamais admiré son rôle de prophète – et de dire qu'il était le dernier poète franco-américain, c'est de la blague. Je suis ici et il y en aura d'autres après moi...en français, en français.

*The first poem – I do have eleven books of poetry – five in English, none of them published. Two of them will **never** be published. They are dedicated to my grandchildren. I have a third one to write since I have become a grandfather for a third time last year. But this one is to Benjamin from grandfather...that will be his. He can do what he wants with it. They are all in English, and this one, this book belongs to Françoise, from grandfather. Then there are three others in English,* *published here and there, in newspapers and magazines, and I just want authenticity for this because yesterday we said we lost manuscripts. I am sure many of my manuscripts are already lost, but if I say that I wrote in English and that some of them have been published, I'll have some kind of testimony to that fact. This was published in the Jamaica Plain Arts News, just outside of Boston. Somebody found out that I wrote, in English, and wanted something. This is very short. It's entitled "The Time Capsule."*

The Time Capsule

All the tomorrow things that I could do
I lock in my last-night capsule
Now, I'm free to do all the today things
I'm doing, as if I had nothing else to do
Sometimes as free as today
I unlock tomorrow things from my last-night capsule
To see if they were done today
There's no hurry
I have all my today things to do
Tomorrow can wait in last night's capsule
Along with other things
And some other day

Peut-être que certains parmi vous avez déjà entendu ces récits, mais en tous les cas, vous allez les entendre une deuxième, ou même une troisième fois. J'ai choisi trois poèmes – deux poèmes-contes et un troisième qui est de cabaret.

Le premier c'est tout simplement – ce sont toujours, n'est-ce pas – des vérités autobiographiques, des choses vécues, mais dans un langage poétique. Et ce premier poème est intitulé "La Boîte métallique".

La Boîte métallique

Je n'avais que huit ans
Et je me jouais déjà un drame
Un drame d'enfant
Pour qui le désir n'a de réalité
Que l'illusion du présent.

Je n'avais que huit ans

Et j'aurais voulu
Sur mon manteau bleu
Des boutons en argent-
Comme ceux que je voyais
Sur les comptoirs de magasins,
Plus gros que des vingt-cinq sous.
Alors,
J'ai décousu les trois,
En verre de lait blanc,
Qui ornaient
Le devant de mon manteau bleu.

Puis,
En pleine matinée,
J'ai couru vers maman
A qui j'ai dit
    Que je les avais perdus.

Elle sourit
Dans le soleil de la fenêtre.
Enfin, elle se leva
Et saisit sur l'étagère
La boîte métallique
Qui faisait l'objet de mon drame.

C'était une boîte
    Senteur de roses
      Comme le bouquet dessiné dessus.
Ma mère plaça tendrement
La boîte métallique sur ses genoux.
Elle souriait toujours
Dans le soleil de la fenêtre.

Maman leva
    Tendrement
Le couvercle.
Puis, comme une bouquetière
Qui se gonfle les poings de pétales,
Elle s'enfonça les doigts
    Dans la boîte-
Dans le trésor à boutons.

Il y en avait des ronds, des petits,
Des beaux, des brisés,
A deux points et à quatre,

Des neufs et des vieux.
La plupart étaient des boutons pour chemise;
Les autres, plus singuliers,
Je les avais vus
Sur des habits de dimanche.

Au soleil de la fenêtre,
Le drame s'est déroulé
Jusqu'à son dénouement.
Maman s'enfonça les doigts
Dans le trésor à boutons,
Tous blancs,
Sans en produire un seul
Qui soit en argent!

C'est comme ça
Que dans une seule matinée
J'ai vieilli
Plus que mes huit ans.
J'avais joué le drame.
J'avais cru cette boîte métallique
Un jardin de roses
Où la jardinière avait caché
Un trésor dedans-
Trois gros boutons en argent.
Maintenant, je n'y croyais plus.
Mon rêve était saigné
A la pointe des épines.

Cependant,
J'aurais dû le savoir
Que cette boîte n'était qu'une illusion.
Car j'avais toujours vécu
La réalité du drame:
Le soupçon
Que nous n'avions pas d'argent.
          Un Mot de Chez-Nous (1976)

Je dois m'excuser auprès de Claire. Je lui avais dit que j'aurais un poème tout neuf, sinon d'occasion, parce que je ne crois pas aux poèmes d'occasion. Je l'ai fait une fois, peut-être deux fois, une fois lors de la mort d'Alice Lemieux et j'ai écrit un poème au sujet d'une religieuse, Soeur Saint-Vincent-de-Paul, qui était ma maîtresse en troisième année, et qui pour moi incarnait la femme des années quarante. Malheureusement, je l'ai oublié à la maison. Le subconscient quoi!

Le deuxième poème en français est simplement un poème de cabaret et c'est en préparation pour le printemps. Et au printemps – qu'est-ce qu'il y a de plus populaire – les gazons – les milliers de brins d'herbe. Avez-vous déjà examiné un brin d'herbe?

Un brin d'herbe

Un brin d'herbe trop long
Ah, c'est très nerveux
Hérissé comme un frisson
C'est très malheureux, la tête sous un talon

Et c'est très orgueilleux
Sans nous en donner la raison
C'est très courailleux, épiant les folles sur le gazon
C'est très ombrageux

Girouette et sans façon
Ça rit vert
Ça boit le soleil
Ça plie au vent
Ça guette la tondeuse
Ça soupire à la noirceur
Ça vit en folle
Ça se mouille à la pluie
Ça se pense tout seul

Un brin d'herbe trop long
C'est très heureux
Verdure de pelouse
Obélisque dans la rosée
Nu sous la rosière
Chlorophylle bouclée de fleurs
Brin d'herbe s'élançant vers un papillon
Brin d'herbe frôlant une poignée de doigts
Une poignée de tendresse
Une poignée du coeur et des amoureux

Un long brin d'herbe
Ce n'est peut-être jamais trop long
Ca naît, ça pousse, ça pleure

Ça verdit, ça se donne
Ça saigne, ça meurt

Un long brin d'herbe
Il y en a peu d'aussi fin, de plus tranchant
Ce n'est peut-être pas savant, amant, catin
Ce n'est jamais vilain
Enfin, peut-on buter
Sur ce qui est mis en évidence?

Seul, un brin d'herbe trop long
Seul, un brin d'herbe trop long
Peut répondre à sa raison
En sommes-nous d'accord?

Un brin d'herbe trop long
A sa raison
Dans une saison
En sommes-nous d'accord?

Un brin d'herbe trop long
A sa saison, dans sa raison
Un long brin d'herbe, c'est bon?
Un brin d'herbe
Ce n'est jamais peut-être jamais trop long
C'est bon, même long
Même trop long
C'est bon, un brin d'herbe?

Le dernier [poème] c'est une expérience de voisin. Et c'est tout simplement intitulé "Dans le pétrole". Il s'agit d'un voisin garagiste, dont le fils continue la carrière de garagiste pour la raison que je donne dans le poème.

Dans le pétrole

La fumée de pétrole
Me serrait les narines
Et déplaçait la bouffée d'air
Que j'avais dans les poumons.
Non, je n'étais pas à la guerre.
Je ne faisais que mon boulot,
Comme ça,
A vingt ans,
Dans une station d'essence.

Je vérifiais les piles;
Je graissais les voitures;
Je faisais le plein;
Je remplaçais les carburateurs;
J'ajustais les freins.
C'était un métier.
J'aimais mieux ça
    Que pousser un crayon.
Et puis,
    J'étais le fils du propriétaire–
Comme patron, il n'était pas exigeant.
    J'arrivais à l'heure;
    Je mettais mon temps;
    Je ne lui faisais pas d'histoires.
Les copains qui venaient
Connaissaient mes humeurs;
    La besogne à la besogne.
    Les taquineries, je les gardais
        Pour mes heures de loisirs.
Dans le garage,
Je pliais aux exigences
    Du devoir et du métier.

La vie m'avait choyé.
Pas tous les gars pouvaient
    Sentir l'huile à la fin de la journée;
    Sourire aux poupées dans leur carrosserie
        De merveilles marchandées;
    Sortir à la pluie pour 50 cents;
Dire "Bonjour" aux gros messieurs
    Qui me regardaient
    A travers leur pare-brise fumé
        Avec des yeux niais
        Mais le gros lot à la main;
Faire des profits
    Pour les commerçants de grosses maisons
    Qui cherchent leur trésor
        Dans notre misère;
Et puis, entendre mon père tousser
    Parce que depuis 27 ans
    Il fume l'essence d'une grosse compagnie.
Vous comprenez que tous ces avantages
Me donnaient droit
    A mes taquineries avec les copains.

Le soir, dans les bars,
On échangeait des blagues
Et, parfois, on s'émoussait les esprits.

J'avais le luxe d'une voiture
De copains,
Une putain,
Un voyage de vacances,
Une fille à qui parler,
De vrais copains
Qui me laissaient faire mon métier,
Des soirs de repos,
Une putain
Coquette et gamine,
De vrais copains
Qui parlaient beaucoup
Sans penser à rien.
Je faisais mon métier.

J'étais choyé
Car j'ai entendu mon père tousser
Jusqu'au jour où le médecin lui a dit:
"Jean-Pierre, c'est assez.
Tes poumons en ont assez.
Tu ne peux plus fumer
L'essence des grosses compagnies.
Jean-Pierre, ton corps en a assez."
Il avait 45 ans.
Moi, j'en avais 22.
J'étais choyé.
J'avais bien appris mon métier.
Papa me rendait, sans peine, ses affaires.
Maman continuait à garder les livres,
A garder mon père
Qui n'arrêtait plus de tousser
Et de railler.

Parfois, maman et moi,
Nous l'avons surpris à pleurer.
Mais, j'étais devenu patron
Avec pleine responsabilité.
Chaque jour,
Je pliais aux exigences

Du devoir et du métier.
Chaque jour,
Je sentais l'huile.
Je voyais les poupées,
Les gros monsieurs,
Le 50 cents,
Les commerçants de grosses compagnies
Et leurs profits.
Rien n'a changé.
Sauf, que j'ai enterré mon père
Il y a deux jours.
Il avait 46 ans.
Et pour la première fois,
Je me suis entendu tousser.
Un mot de chez nous (1976)

On Writing a Novel about Franco-Americans

Richard L. Belair

Publishers haven't accepted one of my latest novels yet. I have no idea why. One of them asked, "What kind of novel is it? Is it an historical novel? An ethnic novel? A generational family saga? A character study? What is it?" Publishers like novels neatly packaged for the market. I'm a writer. I write what I consider to be a story, and I write it as honestly as possible, from the heart.

An editor at William Morrow, who published my last novel, said she liked the *ambiance*. I liked that word. But I certainly wished she had liked its *ambiance* enough to publish the book. She thought it a little long. It came to about a thousand pages. I had written that version in multiple third person point of view. In an effort to accommodate the publisher's need for packaging, I rewrote it in the limited third person. Cut it down to about five hundred pages. I must have cut the *ambiance* out because she sent it back without comment, except the standard rejection that it didn't meet their needs at the present time.

I guess it is a historical novel. Sort of. It's set against a historical incident that occurred in Rhode Island between 1923 and 1928, an incident Franco-Americans refer to as *La Sentinelle*.

For those unfamiliar with that incident and needing a bare-bones summary, let me very quickly trot out the skeleton. The bishop of Providence, who happened to be Irish, decided to build central Catholic high schools. To pay for this, he levied an assessment on all parishes. But the Franco-American parishes had already built their own high schools because they wanted to preserve their culture and traditions, but most of all because they wanted to preserve their language, which they considered essential to keeping their faith. They had done this at considerable sacrifice. No Irishman was going to hit them with another assessment. They knew what the man – bishop or not – was up to. He was going to build his schools, fill them with Irish teaching orders, and crush what the Franco-Americans had worked for and sacrificed to preserve.

They protested and got nowhere. They tried end runs through Canada and France to appeal to Rome. Nothing. Meanwhile, since money talks too, they decided to stop contributing to parish collections.

The word "parish" here became crucial. To the Franco-Americans, church meant parish. The bishop might be thinking church with a capital C. The Franco-Americans weren't about to let him get away with that. Despite dire warnings of serious consequences, they hauled the bishop into civil court to let the Protestants have a say in what the state laws on parish charters decreed about the meaning of "church." The judge, perhaps a Protestant but nobody's fool, wouldn't touch that. The suit the protesters filed against the bishop contained other questions which the judge did address, but what he decided might best be described as very gingerly judicious.

Meanwhile, back in the Franco-American parishes, things were beginning to fall apart. Some said you have to buck a bishop, while others said it's not wise to fool with Holy Mother the Church. This split gave rise to an agony that not only divided Franco-American parishes from each other, but split parishioners and even families. More on families later because that is really the focus of my novel.

After the court decision, came the thunderbolt. All those who had signed the petition to the court – sixty-two very sincere, very convinced, very outraged Franco-Americans – were excommunicated. In 1928, that came as a crushing blow.

That's the skeleton.

Now, I am not a historian. I'm just a writer. But I know a story when I see one. I don't sit down and write novels on every story idea I get, but every once in a while one of them hits me so profoundly that I must explore it. I can't dismiss the idea because it won't let go of me.

Why did this one grab me? For many reasons.

Let me say first of all that the *La Sentinelle* incident happened before I was born, even before my parents met and got married. Yet *La Sentinelle* rattled through my childhood. I didn't even know what it was about. But now and then, my mother would say, *"C'ta' t un des Sentinellistes celui-là."* When I asked, she explained only by saying, *"Tous les Sentinellistes sont morts sans waire un prêt'e."* Now, that statement sent a shiver through the soul of this tender parochial school kid. When I asked what terrible thing they had done to deserve that, she said they had opposed the bishop. "About what?", I asked. She said I wouldn't understand. Later, when I told her I had a date with a certain girl, she said, *"Son grand-père c'éta't un Sentinelliste."* By then I hadn't lost much sleep over those who had died without seeing a priest, and I wasn't about to give up a date because of someone's grandfather. So I didn't pursue the subject.

I should also mention another fact which has a lot to do with the depth of feeling that still reverberated through families. My mother's family, the Berards, had always belonged to St. Matthew's Parish, where the pastor had done his best to keep his parishioners from joining the protesters. But my father's family came from Notre Dame Parish, where the protesters had had a field day. As I look back, I now realize why the subject never came up at the dinner table. I also realize that because the father is away at work, the mother has more chance to talk. And, certainly time to exert the greater influence. My father, a quiet man, never talked about *La Sentinelle*. Until later. Much later.

About ten years ago, I came to the Assumption College library because Gerard Robichaud wanted to research something for one of his novels. I wandered into the history section and saw a book entitled, *L'Affaire Sentinelle* – or something like that – by Elphège Daigneault. I had heard that name from my mother and I didn't care to touch it for fear of dying without...et cetera. Next to it I found the history book written by Rumilly. I found the section on *La Sentinelle* and read it. Wow! What a story! By then, though, I knew enough about writing – and about publishing – to know you don't bite the hand that puts bread on the table, even if you are an honest scholar. Rumilly's book had been published by *l'Union Saint-Jean-Baptiste*, which hadn't quite sided with Daigneault's protest. So I also checked out Daigneault's book. After reading them, I went to Central Falls and listened to oral history tapes. There I heard old-timers who had lived through the incident. They would begin talking in very careful English for the tape recorder, but when they got to *La Sentinelle*, the juices would flow, and they'd let their feelings fly – in French. Character assassinations on both sides.

Back home, I asked my father about it. By then he had retired and my mother had passed away, so he could talk. Rumilly and Daigneault had provided plot conflict that fired my writer's imagination. My father filled in details, scenes of rallies with leaders standing on the tailgates of trucks and talking to crowds through megaphones, people boarding trucks to attend Mass outside the diocese, protest marches on Broad Street. But best of all, he told me that his mother – my grandmother – had gotten very much involved with the women's groups of protesters. Good ole *Mémère* Belair. Stomping at rallies in the parish hall. Shouting slogans. Taking to the streets with placards! She had died when I was about nine or ten – too young for me to know her except as a frail little old woman. But suddenly, I loved her!

I had by then done my share of Johnson and Nixon bashing during the Vietnam War protests. I had protested against duly-established authority, against its power, against its refusal to listen to reason. I knew the gut convictions, the self-righteous anger, the sheer fun of it. Did I have a feel for the story? Couldn't wait to get started.

Still, I hesitated. Perhaps I had a premonition of the pain writing this story would cause me. I was troubled because I sensed I didn't have all the intricate details. I could get the feel of Daigneault's outrage. I could understand the distancing of others who had not joined the protest, but had stood by and watched. Most troubling of all, I couldn't get the feel of the bishop's position. Bishops don't ordinarily write apologias.

But then I remembered what one of my professors – not a history professor – once said: "History is just one damned thing after another." I have added my own belief. It's the same damned thing over and over again. Scratch the surface of either side of any war, and you'll find pride or envy or greed or anger or just plain ignorance – invincible or culpable. That may be simplistic history, but I'm not so sure. I felt reasonably sure of one thing – I knew enough of all those dark things within myself.

A fiction writer really has nothing to give but himself. That might sound melodramatic, but in a sense, you have to go all the way to hell with your characters and hope you'll come back to tell about it. To do that you have to go inside yourself. You can't create from nothing. You can't really fake it. I might have dodged a few problems in the books editors liked and published, but in this one I couldn't honestly avoid them.

I soon ran into stone walls – personal stone walls. I've already mentioned that my first brush with *La Sentinelle* came through my mother's point of view. She didn't have all her facts, but she had left me with her tone of voice, an attitude, a bias, a shiver grooved into my consciousness. I also knew from my own experience how difficult it had been for me – at least at first – to challenge the authority of my government, to send kids, some of them my own students, into the jungle. Soon I began to see that I was writing against some deep-seated feelings, deep-seated and unresolved questions within me. I had the plot and the characters, but I hadn't seen what this book was about. Nearly three hundred pages into it, I realized that this book was about obedience.

Sitting at my typewriter fifty years and three generations after the *La Sentinelle* incident but carrying my baggage of bias and right-sounding lessons half learned and little understood, I had run smack into the core of a conflict I really hadn't lost much sleep over. Now I began losing sleep. I liked the plot less, but I loved the characters. All of them. I couldn't just junk the book. Perhaps, if I pushed on, I would not only love but understand and then love them even more.

A fiction writer must do two things at once – a kind of balancing act – if he hopes to finish a book that makes sense to readers. He has to live with his characters, live in their scenes, and pour them out on paper. But he must also pull out of them at the same time and stay above it all. It's painful fun.

As often happens when writers get in trouble – stuck with a story they can't write – their mind shifts to another story they couldn't write either. I had, a few years earlier, started a family saga about a man named Hector Rivier. You have to pause between the names. The back-to-back R's make you growl or rattle, depending on how you sound them. Hector growled and rattled, and I liked him. The idea for him had come from an incident I had heard about.

A worried little girl was sitting on her front stoop one day while her parents were having a terrible argument. The father stormed out. He sat next to her, still fuming. Suddenly, he drew close, a little boozy of breath, and said, *"N'oublie jamais ton papa."* He walked off. Never returned. He had abandoned his family.

"Never forget your papa." The words haunted me. They certainly must have haunted the little girl. How must she have felt? What must she have thought? She certainly wouldn't forget the old boozer. Yet, he was her father. What if a father had said this not to a daughter but to a son, a young boy, but the eldest of several children who felt a responsibility to keep the family together somehow in hopes that his father might return? What mixture of anger yet loyalty, bitterness yet obligation, hatred yet love might he have grown up with? That novel was a character study. Sort of.

In this novel, Hector Rivier, the little boy, is now about forty. He's a big-bodied, big-hearted, but rough man. He has grown up as an authoritarian father who governs his own family with iron edicts to keep them in line. But he also governs to keep them all together because he loves them all dearly. At the start of the novel, he is asking God's blessing on a decision he has made – a very risky and very big business decision. He is a small contractor who builds three deckers and owns a few in River Falls, but he has risked everything to purchase a vast amount of land on which he plans to build hundreds of three deckers, enough to keep his entire family going for generations, all centralized under him, of course. And, of course, they will all have to pitch in to make a go of it.

In the first chapter, but before Hector can surprise his family with his big decision, he finds out about another surprising decision made by the Irish bishop without bothering to consult too many of his Franco-American pastors. The news of the bishop's high-handed move makes Hector furious. But he says he's going to mind his own business.

When he finally announces his own big news, two of his sons are overjoyed. But one son and one very determined daughter named Rose have other ambitions. Rose is particularly furious. Hector reminds her, "Does a father have to consult with his children when he makes a big decision in his own business?"

Rose, who has witnessed his earlier flare-up, says, "Does a bishop have to consult with his poor Franco-American pastors when he makes a big decision?"

Eventually, Hector can't just mind his own business because people look to him as a leader who could galvanize a protest against an old pastor who is doing his best to keep the parish together. But how can Hector go against the bishop's authority without undermining his own?

So the novel is really the story of a family. By focusing there, I hoped I could make the complex historical incident it is set against somewhat more understandable, more immediate, and more personal. We can all identify with family, where suffering caused by revolt seems more acute because the love there remains a more essential part of the body.

Perhaps, since the Vietnam War, publishers find the conflict between authority and individual conscience too one-sided for a marketable story. We in America – not just Franco-Americans but all of us – rebel against even a suggestion of humble and patient obedience. We idolize the Declaration of Independence and the Bill of Rights. We insist on forming our own opinion. And then our own conscience.

The novel explores that.

The Fathers

Chapter One

Heart filled with joy and anticipation, Hector Rivier returned from receiving Holy Communion. The kneeler creaked under the gigantic man's weight and the bench crackled as he settled into his comfortable posture, backside against the seat and his powerful arms propped against the front of the pew so that he could bury his face in huge workman's hands.

"Nineteen twenty-three, *Mon Dieu*. A big year. Thank you for the help. Thank you for everything. The family will be overjoyed when I tell them the news."

He looked along the pew. Beyond his wife Celeste, his burly twin sons crouched like their father. Up front his son Paul moved with the patten along the communion rail, serving *Monsieur l'Curé*, as the Franco-American parishioners called Father Royal. And Hector knew without looking toward the rear of the church that his daughter Rose sat among the senior class girls. "It will mean sacrifices and hard work, but at last we will be together and we will be set for life. You know my plans, *Mon Dieu*."

It crossed his mind at that moment that he hadn't gone over every inch of his plans for God's approval, but hadn't he roughed everything out countless times all his life? So God had some idea. That morning of his vision, when he had looked out on what the people of River Falls called The Flats, when he had seen it covered with snow and looking like a big slice of bread needing something on it, and when he had at the same time realized that the twins were nineteen, that Rose and Paul would be graduating from high school in June, on that day, at that moment, Hector had exclaimed, "*Christe*, I have to own that land." That use of the Lord's name, hadn't that been a prayer?

But to be very sure, he prayed feverishly. "For the family, *Mon Dieu*. Not for my sake. You've always given me what I wanted when it was for their sake. You made the boys strong and healthy. You gave them the love of carpentry. You gave them the good sense to understand that the most important thing in life is property. Of course, the most important thing is to be good, but after that comes property. I raised them right. Good Catholics, all of them. I kept my end. Now it's your turn to keep yours."

Hector looked up to the stained glass window and the blood-streaked figure between the two criminals. Groaning inwardly, he buried his face in his hands again. "*Bon Jésus*, I pray I haven't crucified myself with my big plans."

When the pastor traced the blessing on his flock, Hector signed himself in response, with a large and deliberate cross. His joy and anticipation welled up again.

"*Ite, missa est*" meant "barrel out" to Hector Rivier. Rather loudly, while still in the church, he was wishing everyone a good and joyous new year all the way to the vestibule. There, everyone responded to the beaming smile on his rough, squarish face as he towered over the crowd. He shook the hand of the men, but he especially loved the custom of kissing the women. Particularly at the eight o'clock mass, the children's mass, the young mothers had such slender, supple waists. When he collected the weekly rent from them, he had to keep a tight reign on his forty-five year old imagination. But now, with tradition permitting, he could give some of his tenants not only a little kiss on each cheek but also a tight hug. And they let him.

[..]

The refined Raoul Chrétien had a complexion like confectionery sugar, exposed only at the hands and face because he kept everything else bagged in black suits during the summer as well as winter. Obviously all perfectly tailored, the suits retained a stiffness even after years of wear, as if Raoul's entire existence never required bending or stooping.

[..]

"I wish you all of God's blessing, Hector, but it's not going to be a good year for ...us."

Raoul said "us" with an emphasis that always meant the Franco-Americans and in a tone that always portended calamity. He belonged to all the clubs and associations that attracted the elite. As Hector had grown more prosperous, Raoul had advised that it would be to his business advantage to join the other influential Franco-Americans. Hector had thanked him politely and said he didn't have time. To Celeste he had said, "If I join a club, it will be for some fun. Those gents get together once a week for a wake without a corpse. They talk about nothing except when the world is coming to an end."

With Celeste's blue eyes burning into him now, Hector tried to be civil, but he sneaked a look at the grandfather clock in the corner.

"I know you don't want to hear it," Raoul said. "I know. I know. And I have only half an hour to visit upstairs before the mass. But the news I have means the end of everything, Hector."

"Raoul," Hector pleaded, "it's New Year's Day." He appealed to his family. "It's a day for celebrating. For looking ahead to blessings to come."

"*Curé* Royal's blessing?" Raoul questioned with an edge.

"To God's blessings."

Raoul agreed caustically, "We will need all God's blessings. But yesterday afternoon, Curé Royal blessed the trustees of this parish with the news that our fine Bishop Stephen Patrick Horgan wants to build central Catholic high schools."

His pause after that declaration irritated Hector because it put him in the inferior position of not seeing how this would end the world.

Raoul had to explain by patient questioning. "Who has high schools now?"

"I don't know if the Irish have any, but we have quite a few."

"Of all the Irish parishes in this diocese, more than two thirds have no parochial schools of any kind. But, of our twenty-two, only *two* have no parochial schools. We Franco-Americans have several high schools – for boys and for girls. Do you know why the Irishman wants to form central Catholic high schools now?"

Hector asked, "Where?"

"Never mind where," Raoul snapped. "Everywhere. So he can put Irish brothers and nuns in them and have all Catholic children go there."

Hot blooded Georges cursed, *"Le maudit."*

Hector spun on his son furiously. "Not in his house!"

But Raoul was pushing on with ominous questions. "How will we be able to keep our own children talking French? How will grandparents talk to the children? How will we keep the customs? The traditions? How will we keep our beloved families together?" Then he rasped, "How will we keep the faith?"

"By hanging on to our schools," Hector answered simply.

Raoul gave a guttural laugh as he shook his head. "Is that so? How? Our fine Irish bishop has big plans. Big plans, I must tell you, about which he never consulted our poor Franco-American pastors, by the way. Do you know how the Irishman plans to find money to build his schools?"

Hector's face began to darken.

"Tax us!" Raoul snapped. "Tax us! Slap a quota on every single parish to support his new schools. Just to build them will cost millions." With a long finger he tapped his black overcoat. "We – the Franco-Americans – we are going to pay to build the Irishman his new Irish schools, even though we already have our own."

"He can't do that," Hector protested.

"He's the bishop," Raoul answered, making a miter with long fingers over his head. His black homburg fell off.

[..]

Hector felt he had to explain so that their holiday wouldn't be spoiled. "You've got to understand the organization and how things work. *Monsieur l'Curé*, that's the parochial church. He's French, so his church is French. The bishops, that's the Catholic church. The Irishmen took that over in America, so the Catholic church around here is Irish. Now, the Pope, that's the universal church. Long ago, the Italians took that over, so the universal church is Italian–the Roman Catholic Church. Over all that is Christ. That's the eternal church.

Christ said, 'This is my church and the gates of hell won't prevail against it.' Now, no damned Irishman or even the Italians can prevail against Christ's church. That's the way things are."

He formed a big umbrella with a sweep of his arms. "Over all that is Christ, who understands every language. The rest is just day-to-day details here on earth. The Pope, who understands only Latin, he handles the mass and the sacraments in his language. The bishops, who understand only English, they use the filthy business English to deal with all the damned Protestant politicians who run this country. The priests, who humbly care for souls, they use whatever their parishioners understand." Warming to the magnificent order and logic of his explanation, Hector had proclaimed it all with louder and louder emphasis.

But now he leaned close to let his family in on the grand secret of God's wisdom. "But God loves the Frenchmen best of all because if you listen carefully to the Latin, you notice that it comes mostly from French words. *Deus* or *dei*, that's almost like *Dieu*, isn't it? When the Irishmen say God, that's nowhere close to *Deus*, is it? The Frenchmen are closer to God's heart than all those damned Irishmen will ever be."

[..]

"I'm sure Christ was French." He turned to quiz Paul, the most educated of the sons. "How do you say rock in French?"

"*Roche*," Paul answered.

"No, I mean in the fancy French, because Christ, sad to say, spoke Raoul's kind of French. He couldn't help it; he was European. What's the fancy word for rock?"

Paul closed his eyes before patiently complying. "*Pierre?*"

"Right! *Pierre*, that means rock. And that's the name he gave the first pope when he made his church. The Irishmen call him, Peter. Peter and rock, that doesn't match. But, *'Tu es Pierre, et sur cette pierre je bâtis mon église.'* He had to be talking French when he said that or it wouldn't have come out right!"

Paul gaped at his father a moment before saying, "But Christ was a Jew, Pa."

"A French speaking Jew. They still exist today."

"But he spoke Aramaic."

"Who says so?"

"The brothers."

"See?" Hector concluded for his twins. "Men. Clergymen. They don't know everything. Book learning. No common sense. You don't need books. All you need to do is think a little. Use what God gave you.

Use common sense!"

Mildly, respectfully, Paul whispered, "Yes, common sense. But common sense based on facts, pa."

[..]

"It has got to be a good year, *Bon Dieu,*" Hector pleaded. "Never mind the Irishman for a minute. You put a poor fool like me in charge of a family here. Let Jesus keep an eye on the church. But, God the Father, help a poor father down here."*

---

* Le roman, intitulé *The Fathers,* a été publié depuis par Branden Publishing Company, P.O. Box 843, Brookline Village, Boston, MA 02147
The novel was finally published in 1991. It is available at the *Institut français.*

Ideas of Order in Little Canada

Bill Tremblay

Introduction of Bill Tremblay

[Is a great pleasure for me to be a part of the proceedings today. I come from quite a different background and culture, but I was struck oftentimes in David Plante's really extraordinary presentation this morning of the links between the various cultures that make up this complex and very unusual country. I have to confess to you that I was unfamiliar with David Plante's work until now. I can assure you that I will be going out to read it all. I am very familiar, however, with the speaker I am about to present to you.

Bill Tremblay is a native of Southbridge. He is the author of six books of poetry. The first, *Crying in the Cheap Seats*, was published by the University of Massachusetts Press in 1971; his sixth book, a sequence of poems entitled *Duhamel: Ideas of Order in Little Canada*, was published in 1986.

Now director of the Creative Writing Program and also editor of the *Colorado Review* at Colorado State University in Fort Collins, Professor Tremblay is a graduate of Clark University, where he received two degrees, and the MFA program at the University of Massachusetts in Amherst. He has taught as a Fulbright lecturer in Portugal and also received a fellowship from the National Endowment for the Arts in 1985.

I first met Bill Tremblay in the late 1960s when he was teaching at Leicester Junior College and at the time when he published an impressive long poem called "A Time for Breaking" which is set in the Worcester area at the time of the U.S. invasion of Cambodia during the Vietnam War. That long poem was then published in his first book *Crying in the Cheap Seats*, a volume that I recommend to you with particular enthusiasm. It joins a long list of publications by well-known writers from Central Massachusetts who have conveyed a vivid sense of their time and their place in their art. A short poem from that volume has taken hold in my memory. It begins:

> My town is called Southbridge.
> its streets and gutters
> run with the rain
> of my memory
>
> every space in it definite enough
> to be a place

has an episode of the poem
hidden like a demigod in it.

I make my Via Dolorosa
through the cobbling streets of this town
how it flowed into me
how the outside world like the Quinebaug River
flooded my town of ecstasy
away.

Another favorite poem for many people, in *Crying in the Cheap Seats*, is called "Jack Kerouac's Funeral." Since the publication of that volume, Bill Tremblay's work has appeared in many well-known publications: *The Massachusetts Review, Ironwood, The Chicago Review.*

In recommending *Duhamel* to readers, the well-known American poet Robert Creeley has said that Bill Tremblay offers a unique treatment of a world "whose brutal fragility has found no other way to speak."

I have to confess that part of my affection for Duhamel is the time that it recreates, that is the 1950s. It's a time that many regard as a period when nothing happened. But Bill and I know differently, as he so vividly suggests in *Duhamel.* And it's for this reason, among many others, that I have looked forward to hearing him read from his work, and also of having this opportunity to present him to you. Ladies and gentlemen, Bill Tremblay!] Michael True, professor of English, Assumption College.

Presentation

Thank you Michael, and thank you Claire Quintal for inviting me.

I am not one who has French, and in talking with people last night at the banquet, and later, I discovered that there are many individuals whose lives parallel mine in the sense that their parents recommended that they not learn French because it might hurt them, hurt their future. Still, I feel as though they gave me so much that, even without the French, I have enough of a legacy to last a lifetime.I would like to begin my reading by reading the poem that Michael True quoted from:

My town is called Southbridge
its streets and gutters
run with the rain
of my memory
every space in it definite enough
to be a place

has an episode of the poem
hidden like a demigod in it.

I make my Via Dolorosa
through the cobbling streets of this town
how it flowed into me
how the outside world like the Quinebaug River
flooded my town of ecstasy
away.

Crying in the Cheap Seats (1971)

I am referring, of course, to the hurricane of, I think it was August 1955, when a big flood came through Southbridge.

Diane! [from the audience]

Yes, Hurricane Diane, yes. I would like to read next a poem that has a little rough language. I hope you will survive.

The court we live on is a dead end:
a cyclone fence
and then the light and power company

a hundredfoot smokestack
coal burns   the sky is grey sometimes:
all night the transformers hum like locusts
to the sleepless

sitting on the steps I can see them all
the mothers   leaning out over railings
hanging clothes on spiderweb lines
from second-storey porches   in housecoats

battling against the soot
screaming across the street "Christ d'Calvie!"
when one kid gets beaten up by another

they wash and cook
and love their husbands one night
throw them out the next, sometimes saying
how they've been to confession to take
communion and no making love
hulking husbands stinking beer

and as if the Church were not enough
they go to a woman's house on Worcester Street
who drops two drops of olive oil   on water
and if they join it is the reason   the evil eye

a lot of them work the second shift
at the American Optical
I see them cutting down the sad path through
          the coal yard
and theirs is the death of cancerous mothers
and retarded children to be sent away to Belchertown

but mostly   it is   this picture
a mother shaking out a rug
on the back porch on a blue May morning
the month of Mary

she sings some simple song.
                    Crying in the Cheap Seats

The paintings that you see displayed on each side of the lectern are by Roland Meunier from Southbridge, a painter whose work I saw when I was growing up. It was a joy to me to be able to see someone with that level of skill living and working in my own community. And so I think, maybe, Roland has some role in this book [Duhamel] beside providing the, I think, very inviting cover for my book. The road seems, I think, to lead the eye to the interior, I hope, of the book. I am going to read the Preface and then read some poems from the book. The Preface will lay out the basic premise for the narrator.

DUHAMEL: Ideas of Order in Little Canada

Preface

My brother Ray and I were clamming along the Rhode Island shore, tossing good-sized littlenecks into a bushel basket afloat on an innertube tied by clothesline to his waist, talking as we waded among the rocks about the old neighborhood.

"Sure it was a slum," he said, smiling. "But we didn't know that when we were kids. Remember picking up pieces of broken glass from the gutter and using them for hopscotch?"

"Have you been back there lately?" I asked. "One tenement's been torn down. It looks like a bombed-out city."

"So what are you feeling?"

"There was culture. We even had a painter, right across the alleyway. Maybe you don't remember that guy Duhamel, he was more my age."

How could I gave forgotten? Duhamel lived in that torn-down tenement with his commonlaw wife, Marie-Paul (we pronounced her name "muddy paw," in french-canadian slang) and her friend, a woman from Oklahoma named Frances. Duhamel painted houses for a living. He'd save up a little ahead and quit work to paint canvases–New England landscapes, rivers with factories and hydro-electric plants, automobile graveyards. But mostly religious pictures with people he knew as models–a Last Supper, with himself as Judas, several Madonnas with Marie-Paul as the Blessed Virgin, a Stations of the Cross, a Mary Magdalene with her eyes lit up outside the empty tomb–which he hoped to sell to local churches and, perhaps not oddly, to bars.

Though subject to slight seizures, he was drafted, December, 1944, and passed the physical. He never saw combat. He was part of a force that was spared the invasion of Japan by the destruction of Hiroshima and Nagasaki, and every year he mourned his "second birthday" by going on a three-day bat, starting on August 6th.

My brother says Duhamel died fairly young in 1968 from maladies brought on by his drinking. He was always getting beat up in fights, too, defending his right, as he saw it, to live the way he wanted, openly, in a town where many felt it was almost a sin not to work in the mills like everybody else. People who figured him as just a bum left him alone, mostly. Others, more puzzled, might shout, "Who do you think you are!" before swinging.

Duhamel liked the younger people who started showing up in the years just before his death, and Ray says his style, which was always changing–from a Grandma Moses panorama of streets with people and stories happening on stoops and out windows to a stained-glass look with sometimes little devils climbing out of the cracks–was changing again. One painting found in his effects shows a man whose fingers are being fed into a textile loom, and the cloth being woven is a tapestry of him in a nun's habit.

When I picture Duhamel–a fox of a man with challenging eyes looking out the bay window of Dragon's Cafe onto shopping-night crowds passing down Central Avenue–I can hear my brother's voice and, through his, the others' voices, telling about a town where much has now gone invisible and exists as the setting of dreams that hold the keys to everything they thought left behind, better forgotten.

These poems are set in the mid-1950s.

• • • • • •

I couldn't help but echo, a little bit, some of the thoughts David [Plante] shared with us today. That sense of distance that he achieved, I also have, I suppose, achieved by going to live at the foothills of the Rocky Mountains.

There is a sense in which when the visible goes invisible it's very much an opportunity for the creative artist, in the way that Rilke talked about it when he talked about the story of Orpheus. He says that Orpheus created metaphors precisely at that point when he began to see his lost Euridyce's face shining in the evening light through the trees, and those realities merged for him. So also, in a way, I could see the buildings that weren't there anymore. The narrator is someone about 53 years old, let's say a little older than me [audience laughs] someone who has finally gone to AA [Alcoholics Anonymous]. I would have thought he would have rather died. But here he is, going back to the 50s in a way, standing in the shadows, going back to a neighborhood because in some sense he believes that his problem is connected to perhaps having missed something in the structure of ordinary reality that he's got to rediscover if he is going to stay sober.

The Old Neighborhood

Yes, I go back there sometimes when I feel like
getting ripped. Maybe something I missed's
out in the open between the rows of three-deckers,
the tilted-over telephone poles with spikes
sticking out up to the crossbars, the constant
reminders. Maybe in the shadows under fifteen-
year-old sedans passed out in the gutter like
tugboats a ghost is jerking my chain.

This summer I saw that old d.p. we thought was
funny in his shirt with no collar shuffling

upstreet in the shimmering air above the hot tar
still talking to himself about his father's
farm in Macedonia. Over on the feed and grain store
loading dock, Brannigan was propping up a shoebox
with a stick on a string and sprinkling a few
teeth of corn as bait to snag a supper of squab.
His daughters're so mad at him crying God
cursed him with no son to carry on his name
none of them will cook for him anymore.

Duhamel's tenement is torn down, a few bricks're
left in the cellar hole. Three cement steps
leading up to nothing. They used to be third base.
The big elm was home. We'd be playing ball.
Duhamel would be painting out on the back porch.
I saw him paint a black stallion once with lightning
in his eyes. At 5:30 Marie-Paul would plod home
from the knife-shop after working hungover.
"Get a job," she gasped like Greta Garbo as she
plopped down on the ratty green sofa. "This is
my job," Duhamel answered, maybe wiping his hands
on a turpentine rag, maybe strangling it.

Homer Desjardins heard them if he was eating
supper outside with his radio. "They're at it
again," he chimed in that choirboy voice he
brought home from Normandy. "Some people just
can't take it," he chirped as he called the cops.
The cruiser tore down the street whirling up
dust like winter again with sandtrucks spraying
in the same circular rhythm as mothers sprinkling
flour on piedough. It was always the same charges
against Duhamel - drunk, disorderly, resisting.

That cellar hole's like the one beneath all
the tenements you had to climb down into winter
nights to fill the oil tank that glugged three
times into the cold silence. You came to after
God-knows with numb feet for watching snowflakes fall through the streetlight and remember
not everything that moves is living.

Duhamel would still be up painting, close to
his easel like they were ballroom dancers while
the neighborhood slept and snow covered the machines.

> I saw him one night sway on top of his kitchen
> table singing, "Humpty Dumpty had a great fall,"
> as he splattered red paint on the floor. I guess
> I'm not creative. All I thought of was how soon
> six o'clock comes and walking to work in the dark
> half-asleep with the wind biting your face, feeling
> too old to quit and start over. We all wanted
> something better. My grandmother often told me
> she dreamed of the moon shining on the wind roaring
> through the Quebec forests she'd never see again.
> Why make yourself sad, I thought. We're here now
> in this country. Duhamel never wanted to choose.
> He'd stare into a blank canvas for hours
> like it was the ocean where the ship that would
> save him would show, him half-crazy with never
> sleeping, with never letting the bonfire go out.
> *Duhamel - Ideas of Order in Little Canada* (1986)

And so I think in a way that the opening poem is, in some sense, that this man stretching himself toward a reevaluation of a man who he thought in the 50s was really weird.

Writing these poems gave me a wonderful opportunity to write poetry about paintings that don't exist. I wanted to shift away from writing autobiographical poetry into writing fictional poetry and it really takes quite a shift in your imaginative orientation. As I was trying to explain this morning, what I needed was to invent a narrator who knew what I didn't know, and so would thus give me access.

Here is a poem called "Creation" in which I am trying to imagine what this guy's, this painter's childhood, in effect, babyhood, was like.

Creation

> In school the nuns taught God
> made the heavens and earth in six
> days. Duhamel never believed it.
> He saw his mother and father make it
> in one day.
> At first it *was* dark.
> His mother lifted the curtain and made
> light shine through the glass windows
> and the wooden crossbars, making their

children, the shadows.
                                    His mother
carried him and created the kitchen,
the bathroom, talcum, pleasure. She
made the air, the smell of hot toast.
His father walked him with both hands
and created doors, the world outside,
angel clouds, and telephone wires strung
above streets were how things're connected.
He created motion in a maroon Packard,
and colors for go, stop, and maybe.

They created smokestacks, steeples, and silos
to mark the different kinds of work.
They created Revere Beach and, for
everything without end, the Atlantic,
with waves rushing toward him saying,
"Reverse. Everything in reverse."

Darkness came: light in reverse.
Shouting came: laughter in reverse.
Duhamel invented more uses for darkness,
the pleasures of making the world over.
Bathrobe sky. Melted tar night. Packard wind.
He hummed as his eyes opened in reverse.
               Duhamel: Ideas of Order in Little Canada

I mentioned earlier this morning to Marcelle Fréchette and to Armand Chartier, while we were having a cup of coffee to wake up, that a lot of my poetry is based on jazz. I love jazz. I always have. And so this is a kind of Brazilian thing. I think I should perhaps here add one little further thing. It came to me when we were talking. I told them that the reason why I love the jazz solos is that I always assumed that the jazz soloist, the saxophone player for instance, was actually saying a poem, in a way. If you could hear it, you know, there was a certain kind of state—mental quality about the way that the musician would attack the notes. You know what I am saying. The guy was either just telling what happened last Friday night or telling a story. And I told them that I got that from Jack Kerouac. And so Armand said "Aha, a Franco-American tradition, right? So in other words, you freely admit this influence from Kerouac?"

"Absolutely."

So here's a poem called "Night of the Living Dead," which is taken from the movie – and it's a kind of a street rap. A meditation actually on what amounts to spiritual matters, I think.

Night of the Living Dead

Me and Duhamel went to the movies and sat through
two shows and it was getting dark when we came out
and a bunch of guys were all acting crazy, dancing
on the sidewalk in a circle like the black women
under the marquee where Flash, the usher, was
changing the letters. Dizzy clapped his hands in
a tom-tom voodoo beat, the others had little fits
of twitching–they were possessed, staring bug-eyed
at the witch-doctor's white skull face as he shoved
his rooster claws close to the creamy skin of the
blond tied to the stake in the middle of this
clambake. He could make us do the zombie jamboree
ever since the day we killed the gartersnake
coming home after swimming at the First Res along
the bulldozed new road where carpenters were already hammering up California ranch-style houses.

I forgot who dropped the big shoulder. Its head
stuck out and a light came out of its eyes and it
fell dead. The shivers I got felt like damn bad luck.
Like we'd been protected, we hadn't done any real
harm up to now, but that was sayonara. No matter
how much we kept statues of St. Mary with her foot
crushing the head of a snake in mind, we kept
picturing the Big Gartersnake of the World crawling
up to settle the score for killing its baby.

One guy staggered stiff and fell down on all
fours. He was making believe he was Dizzy's father
crying "Bad things happen to me" in the gutter
with spit-strings hanging from his mouth. I got
a lump in my throat. Zombies were everywhere.
Marie-Paul and the people that worked on the line
thought Homer Desjardins was a piecework zombie,
the way he produced. The boss kept sending in
the timers to push up the quotas. He stared into
space. I got so scared I thought of walking
through the circle of possessed dancers snapping

my fingers in front of their eyes, but who was I
kidding? I'd only be like the old Albanian who
shouted into shopping-night crowds, "See pigeons
make it through winter... At least God give
pigeons a brain..." louder and louder until Sharky
the cop got him from behind. Who were you asking
"Am I a zombie?" but your soul? The flock of one.

"Come in and have a beer," Duhamel said. "You
don't have to worry, me and Marie-Paul ain't zombies."
I watched him paint, and if he wasn't a zombie,
maybe he was a witch-doctor. "We must've been hyp-
notized," he muttered under his kitchen light I
saw in the painting as a flare bursting over his
battlefield. "Trying to get the sluff of the baton-
twirler's long white legs through the gravel of
Oak Ridge Cemetery. My father was in the American
Legion. They shot blanks in the sky. I thought
it was to get God's attention. I'd scramble between
his legs to grab those brass shells that make good
whistles. Blew a high note once, he turned pale."

Duhamel spread vermacht green with a palette knife,
used his thumb to blacken eyeholes in the skulls of
marching skeletons in Eisenhower jackets counting
cadence through no-man's-land. "No landmine can stop them
now," he mumbled, whitening the teeth of a skull with
MacArthur's pipe stuck in the jaw. Duhamel spat,
smearing curls of mustard gas over foxholes snarled
with concertina wire, sprinkling glitter in still-wet
paint to make the fallout shine. "Make it all be here,"
he shouted, over and over, as he slashed the painting,
knocked apart its frame, and burnt it in the trash —
the sparks spiralled up in the air to the stars.
                                        Duhamel

    I want to read one more poem from *Duhamel* and then I will read
"Jack Kerouac's Funeral" as it may have some pertinence to the
discussions today. I don't know about your neighborhood, but in our
neighborhood, Halloween was very important. I also get the sense that
it goes all the way back to Gaul. Not only did we have Halloween, but
the night before Halloween we called "Cabbage Night" and well, it was
the kind of town or a kind of neighborhood where the parents kind of
gave the kids leave to go be crazy that one night. And so what they did

was to bedevil this poor old lady by the name of Guardino. She was
reported, you see, to be a witch.

Cabbage Night

Old Lady Guardino jumped up from her rocker
at the thump on her porch. It was the night
before Halloween. The neighborhood kids whined
till their parents let them run loose in a pack.
They swarmed the garden fences. "Knick-knack,
break the witch's back," they chanted.

She was marked with the twisted right foot,
the sign of the goat, her high-laced boot pure
lead. She was the palsy in grandfather's hands,
the pink slip in father's pay envelope.

Into the rows they spilled, through dry
cornstalks like a starving drill-corps standing
at attention to a white, full moon. They tore
out the cabbages, running through the empty
hubbard-squash vines through the walkway
between the Fong house and old lady Guardino's.
They lofted the cabbages over her bannister,
weaving like Apaches in a figure-eight crying,
"Human heads! Human heads!"

She ran out, pouring a basin of scalding water
over the railing. Ghosts of steam sprang up
from wet angles – steps, the hood of a Ford parked
in the alley. "You're all in my power!" she cried.
"Go! Bring me more cabbage hearts. Fly!"
The kids stopped in their tracks.
Should they do as she had commanded?

First one child, then the whole gang
broke into a walk toward their three-deckers.

A chill crackled into the air,
shooing them along. Hot cider if they were lucky.
If they were lucky, no screeching dragon
clawing their hair as they tried to run,

feet stuck in sidewalks soft as fresh bread.
Old lady Guardino stepped back out on her piazza,
gathering cabbages into her apron. "Good soup,"
she said to herself, the last words before dawn.
                                        Duhamel

She had something.

The last poem I'll read is called "Jack Kerouac's Funeral." I never
met Jack during his lifetime although I wrote him one short letter.
But, his writing meant a great deal to me. I've read a great deal of it. So
this is almost like a diary of this event.

Jack Kerouac's Funeral

            Where's St. Jean Baptiste Church?
a sunoco gas-station
at the end of the Rt. 495 cut-off
DOWNTOWN LOWELL the sign

Oh, Saint John da Baptis'!
Hey Harry (over the door H.H. Johnson)
where's saint john's
                        a guy draining the oil
of a car on the lift yells
jus' keep goin' til you can't go no more
turn lef' an' you're on mer-mak street
that's frenchtown, up abouta halfamile

the second part is
finding jean baptiste in a rundown
wounded neighborhood
gaping spaced lots waiting for urban renewal
like an old hag waiting for false teeth

stop in a coffeeshop
cupacoffee at the counter, readin' the Lowell *Sun*

            suffering a massive hemorrhage
            a former Lowell *Sun* sportswriter
                                        French literary
            prizes *Maggie Cassidy*, which tells of
            his life and times, in fictional form, at

        Lowell High School
                 On the Road
        "beat" refers to beatific
                 a bridge
        between the Lost Generation ... and the heirs of
        the Beat Generation, the hippies (sure)

        educated at Lowell ... went on to
        Columbia in New York where he played football
        (me too, me too)

guy comes in
give me the two crull-er, eh? an' coff-ee to go.
frenchtown
                I thinks of maggie, the scene where
he's sittin' on the can and she's blowin' him
tryin' to get him to stay home insteada goin' off
to college, he wantin' the city, writin'
leavin' her and the life of a railroad brakeman behind

yeah, I thinks, this is where
the tenement three-deckers
the backlot pickup baseball games in the twilight
before the mothers callin' kids home
to fridaynight fish fries
and the omnipresent sacred heart of Jesus calendar
hung on the inside of the bathroom door
in french naming the saintsdays
are
        an' wow here's the merrimack river
rocks and the riverwater's in the three channels
Jesus! I thinks, just like
southbridge I knew it

across the street from the church
a young guy says, They're goin' to have it
at eleven   I says Where's the home
(meaning where'd the kerouacs live) but
he says up the street at archambeault's

so the third part is
in archambeault's funeral home
where I come back into the real french-canadien
idea of class
        a room marked MR JACK KEROUAC

and there he is, in the casket

the place is empty except for this
like maybe crazy college kid standing against the wall
with a funny smile on his lips
I kneels and prays (one for cynthia) looks and
jesus jack you are still there, your
soul? yes, soul, is still there

you look mighty like my uncle pete
in your bowtie and check jacket, rosary beads
clasped in your hands (badly crinkled)
and your classic features, greek statue lips
long straight nose
                          noble, remember?
WORK LOVE SUFFER Kerouac motto
next to the bier a coupla dozen roses shaped into a valentine
the red satin ribbon bearing the gold legend
GUARD THE HEART
                          who sent it?

guy comes in   whips off his winter jacket
plunks down on the pew   wrings his hands
sighs loud tears O JACK I MADE IT JACK

mrs kerouac, stella, comes in
the guy comes up with rheumy words
are you mrs kerouac   I'm very sorry
holding her right hand in both of his
until she pulls it away

tight jaw and dry eyes
deep lines and black depression trenches
in her face, the veil, anguish
like shot in the stomach but tryin' not to cry out

Ginsberg comes in with Corso
(a long navyblue coat rasputin wore)
allen stands bending at the waist talking
to mrs kerouac saying how he and gregory
will make a movie about the funeral
and she looks up she says
Do what you want
but I never want to see you again

arrggh!
and he bows (quiet guru) and goes to corso
and the sound of the goddam camera whirring

out on the street I hears the merrimack
rushing over its rocks
standin' on the high bridge the wind
bright with october morning blue sky
                                    I hear
boys in bathingsuits yelling running barefooted
over 1935 rocks
a lowell tech kid walking by says
don't jump   christ, do I look that bad
                                    I see
jack straying along the river thinkin'
about serpentine monster in the core of the planet
getting ready to rise, its sulphurous snake-eyes springing
into the atmosphere of lowell and rising
like a rocket menacing the cellstructure of the universe

it rises and rises
until it fall into innocent atoms
                        poor emerson

only dr sax KNOWS

there's a three-decker
with clotheslines of sheets flapping white
and jack is up there
with a jug of wine, only
it's the GREAT AMERICAN NIGHT and stars
like headlights cruising down turnpikes of eternity

jack is gettin' a little high
lookin' from off that rooftop to the river
thinkin' of his old buddies
sampas maybe, thinkin' of who and what
regrets, finally remorse
loving God in the mountains of washington
burnt out on his friends in frisco
buddha burns in the shacks of berkeley

go on loving, dying somewhere between
the artist and the man   take your choice
be a artist or a human person
                        the artist

will make a movie of his friend's deathtime
I thinks, judge not lest ye be judged
ginsberg is just then driven into the parkinglot
behind the church
judge not WORK LOVE SUFFER

the next part is the funeral
father morissette speakin' with that fren ch'accent
of the sins of israel (judge not)
so beautiful he prays
please Father forgive your servant jack
for any sins he may have committed in this life

in black vestments with gold trim
the church high vaulted ceilings, paintings of the saints
and jean, john, jack baptizing in the jordan the young christ
Are you the messiah?
No, I am but a voice crying in the wilderness.

The eulogy
        jack lived around here and came to this church
        even when he was a boy he used to come
        to the rectory and talk about how he wanted to write
        to express the feelings he had in words

        we encouraged him
        he left us and went out and made a great name
        and wrote his writings
        I read his books
        some say his books are indecent
        but I could see that they were a great force for good
        because jack had a vision
        of the freedom of the human spirit
        and spoke against every form of bullying he met

        now he is at rest

said father morissette and I guess everybody just knows
jack's going to heaven to be with gerard

around the casket shaking the censor
incense rising to the rhythm of the bells
holy water beading up on the bronze
the old man with the crucifix leading the procession to the doors

the casket down the steps
into the tv camera
denise in cloth coat, creeley
a reporter takes jimmy breslin's statement

and the last part is
out at the cemetery down along the avenues of the dead

mrs kerouac no tears not once
the priest, I am the life the resurrection
tv cameras churning   corso's camera whirring
mrs kerouac leaving as soon as the final
syllable of the glory be evaporates

ginsberg handing the camera to creeley
he using the one eye into the eyepiece
a shot of corso ginsberg laying a yellow carnation on the casket
the eternal celluloid record
                                    I guess
creeley is another true artist

drivin' down south home through towns
stow and bolton and marlboro I hears jack sayin'
all american authors are insane   you gotta be crazy
to be a writer in this country

angleheaded hipsters in the starry dynamo
of the night all mad for life generating this
spontaneous bop prosody

exactly one year before
I write
            dear jack,
                          please don't die
                          write more books instead

now he is at rest
and I'm goin' home to make a poem
of jack's deathtime
I'll just keep goin' til I can't go no more
turn lef and there he'll be
                    Crying in the Cheap Seats

Reading from a Work in Progress

Jacquie Giasson Fuller

I want to say how honored I am to have been asked to read at this conference. I am a relatively unpublished writer, so to have been asked at this point in my career, with the other presenters, for whom I have a lot of respect, is an honor, and I am deeply grateful.
I will begin by reading the first three chapters of the book.

ONE

"Remember, Rosaire, when the blocks had people all over on the porches to play cards?"

"Well, not this time of year, eh? They would have *geler les mains*, frozen the hands!"

Rosaire and Mariette walked along the battered sidewalk in front of Rosaire's apartment house. Behind them the sun fell into the river, bobbed a few times, and then sank.

"*Non*, not November, but when did that stop?"

"Around the War, I guess. We had to work, so we landed in the mill, stuck on a machine, doing overtime."

"Well but Papa was in the mill too, working hard, and THEY all played cards. *C'est d'valeur* that people don't do that no more. No one hardly goes to a dance or nothing."

Rosaire stopped before a large crack in the sidewalk.

"*Ay*, watch out, Mariette. I don't want you to fall, 'cause I can't pick you up too good no more."

Mariette shuffled past the crack and they resumed the dirgish rhythm of their steps.

"When Papa used to have the men play cards Friday night, that was something!"

"Friday and Saturday too when he worked in the International. The International... That was a big name for a little hell-hole, *eh?*"

"So but Papa was so old when I was born he didn't do that too much no more with his friends. No more cards too much like you had, Rosaire."

"Well, even me, he was getting old. Let's go in, *eh?* I'm freezing *mes pieds*." Rosaire held up a huge rubber-boot-covered foot for display.

They headed toward a small half-circle of yellow light at the apartment entrance. A group of pigeons moved within the perimeter of the light; the birds sauntered, unconcerned, casually stepping aside to avoid being kicked. Mariette hesitated before a one-legged pigeon; it froze, wide-eyed, then hopped quickly to the dark curbside.

"*Ah ben*, WATCH OUT, *là*," Rosaire whispered loudly. "*Vieille Madame Savoie* is giving supper to her birds."

Mariette looked up. A small, barely-discernible head peered out, forehead smooshed against the glass, from a third-floor window. Gloved fingers passed in and out of a narrow slit at the base of the window; they dropped bits of bread, which toppled like clumsy snowflakes to the sidewalk below. The head vanished, then a mouth appeared at the window slit.

"GET OUT OF MY GOD-DAMN BIRDS AGAIN, *ROSAIRE LACHANCE*, AND YOU, *MADAME*, BE CAREFUL OF MY LITTLE *JOE PIT*." An accusing finger jutted through the slit to point at the crippled pigeon.

Rosaire raised one hand and wagged it at the woman as if he was erasing a chalk drawing of her from a blackboard.

He and Mariette walked to a set of concrete stairs. Rosaire took Mariette's left elbow in one hand, her large needlepointed pocketbook in the other. They climbed the stairs carefully, with concentration. Rosaire opened a heavy green door, and they stepped into a dark hallway; he slapped at the wall to his right until his palm hit the light switch and it flicked on.

The two made their way down the first-floor corridor to the rear of the building. They could hear food frying and muffled voices from several television sets. Twelve mailboxes, side by side, lined the hallway; Mariette paused to read each name as she went by:

"*BISSON, LECLAIR*, LACHANCE, STEELE ... *QUI ÇA, STEELE?'*

"Oh, I don't know her, that one," Rosaire responded. "That's that new girl on top of me upstairs, don't make too much noise."

"NO NAME, *BLANCHETTE - QUEL BLANCHETTE* IS THAT?"

"*BLANCHETTE*, that's the man upstairs who says *bonjour* when he goes by down the hall with his young wife."

"Oh, yah, that one with his wife, *la p'tite Chinoise?*"

"Yah, she has the eyes like that, Mariette. I don't know if that's his REAL wife, though, because *Michel Bisson* knows her from downtown."

"Oh, *ben,* if she's one of those beer-joint *Chinoises,* then, *eh?*"

Rosaire nodded solemnly.

"BONNEY, NO NAME, LEE ... LEE?"

"Lee, him, that's that new black man upstairs. I only see him when *Paradis* asks me to go collect the rent. He always has the same pants on, that guy."

"DESROCHERS, NO NAME, THERRIAULT, not too many new ones, *eh?*"

When they reached his apartment, Rosaire wedged himself in front of Mariette and flung the door open; the heat from within splayed over the two of them like sunlight.

"OOOOH!" cried Mariette. "I like that. It's never warm enough *chez nous.* I have to turn on the oven and put my feet in!"

TWO

Rosaire and Mariette sat at Rosaire's tiny kitchen table, eating *corton* toast and drinking coffee.

"The thing I loved most about Mama's and Papa's house was the people. Sometime on Sunday when all the sisters and all the *belles-soeurs* would put the babies on Mama's bed with a diaper in between, so they wouldn't all roll over and stop breathing. The babies went to sleep and woke up at the same time."

Rosaire laughed. "Except *p'tite Lillian,* eh?"

"The pot-banger! *Coriss,* I forgot about her. What a little *baveuse* she was!"

"Remember the Big *Ma Tante* visit?"

"*Ma Tante Alice* and her stories - remember poor little Dou Dou got his hand stuck in the swing and *Ma Tante* waited to finish telling her story before she fixed it?"

"Poor Dou Dou; there was another one."

"Dou Dou was Albert's favorite one," Mariette said, watching Rosaire's face.

"*NON,* no more talking about Albert today. You promised, one day with no more talk about him, okay?"

Mariette sighed and slumped in her chair. She took a bite of toast.

"So, your daughter will come soon?" Rosaire began cheerfully.

Mariette chewed.

"*Ay,* this cannot go on like that. You know she wants to find a house and come home maybe? What do you think about that, then?"

"I don't know," Mariette responded curtly.

She got up, walked to the stove and poured herself a second cup of coffee, spilling some over the side, into a burner. It sizzled, and a burnt smell rose into her face as she replaced the coffee pot. She carried the cup carefully into the living room and settled herself onto Rosaire's overstuffed sofa. She got up again, turned on the television set, and then sat down. The black screen faded into an old movie-scene; a man and a woman in evening clothes were doing the tango, carrying on a good-natured argument between moves.

"Remember when Albert came back from the service and the three of us would go to a dance?" Mariette called out to Rosaire. She took a sip of her coffee.

Rosaire walked into the living room, squeaking the wooden floor with each step. He held a dish cloth. His lips were clamped shut. He turned down the sound on the television set, then turned to face Mariette.

"Let's not talk about those times no more," he suggested wearily. "It always goes back to Albert. You are talking about the old days too much. I'm afraid one day sometime you're going to go back in your mind and stay there."

Mariette looked concerned. "Do I make sense all the time?" she asked.

"Why don't you go see Dr. Latulippe? See if you're okay."

"Well, I'll call him sometime, then."

"*NON-NON*," Rosaire said firmly. "I'll call tomorrow. I found that letter, you know."

"What letter?" Mariette snapped.

"You put it in the trash can at your house, right on top when I put the candy wrapper in. There was nice pictures Yvette sent in the trash. You didn't even put them in your wallet or on the piano. What's wrong that you don't keep pictures of your grandchildren? They're only children, them; they don't know nothing. I don't mean to give you hell, Mariette, but I'm worried when you only talk about a dead man."

"DON'T YOU CALL HIM A DEAD MAN!" Mariette cried.

"He is, he's dead and he's gone now," Rosaire insisted calmly.

"NON! DON'T YOU SAY IT, ROSAIRE LACHANCE!" she shrieked.

"HE'S DEAD! HE'S DEAD! HE'S DEAD!" Rosaire shouted, wringing the dishcloth like it was a cat's neck, while Mariette pressed her hands over her ears and screamed and screamed.

THREE

"What a scream – there is a mill in every one!" laughed Helen Peacock. A wide-toothed comb pierced her silver hair at the scalp; she drew it down, down, down.

"Well," Mariette explained. "We lived down in the middle of the mills. These aren't the ones Albert took after we got married. See, this little girl, it's ME."

She pointed to a web-lined, faded photograph, then raised her head and looked into Helen's eyes. "Do you remember how it's like when you're a little girl and the street is too hot like that?"

Helen examined the photograph. A small girl wearing baggy pants and a jagged bowl-haircut sat at the edge of a sidewalk curbing, just out of reach of an oblique shadow cast by mill buildings in the background. The girl shut her eyes tightly against reflected sunlight. An elderly man stood beside her; he too winced so that his eyes were mere slits.

"The heat-smoke comes out the street and the sidewalk," Mariette went on. "See my papa?" She placed a yellow fingernail over the man's heart. "That's where the smoke comes from, is out my papa's eyes."

"Nurse! Nurse," called Helen Peacock.

[So you see, Mariette is in a nursing home with Alzheimers - she forms a friendship with her nurse, Nanun. Nanun is, as I see her, an old-fashioned kind of French-Canadian woman, perhaps from the 1950's with a huge brood of children. She invites Mariette and her roommate Helen Peacock to her home for a weekend; this next section takes place in the *"P'tit Canada"* where Nanun lives.]

TWENTY-ONE

Helen Peacock smiled to think that she was sitting in a Catholic church. "Not that this is the first time," she thought. She remembered a small chapel in a French village. There were benches for no more than twenty or thirty people; she imagined that this, Bateston's largest Catholic church, would hold two or three thousand.

"Mother would have a conniption," she thought. Her mother's angry, red face appeared before her, spewing soundlessly about the dangers of Catholicism. Helen pooh-poohed her invisible. She remembered that during the War, her mother had written her letters, imploring her to keep the Protestant faith and to stay away from "those palaces, designed to capture the awe and souls of those ignorant folks with their gaudy ornamentation."

She looked down the long line of the pew, filled by Nanun's family. The older children sat perfectly straight, keeping their attention to the service at the altar. The smaller children were restless, but were more or less contained by a steady supply of thigh-pinches delivered by their mother, who kept a constant vigil over the mischief.

"That was a beautiful service," Helen said to Nanun's husband, who, with his eldest son, maneuvered Mariette's wheelchair down the spacious church steps. "Just lovely. I've not been in a Catholic church for many years."

"*VIEUX PÈRE BLAIS,*" Mariette said as she was placed onto the back seat of an old Ford station wagon. She was gazing at a dark figure standing on the stone steps.

Nanun whirled around. *"NON, NON,"* she said. *"Père Blais* is dead. That's *vieux Père Rouleau."*

Children fitted themselves into all of the available spaces of the car, between, on and around the adults.

"It was lovely," Helen said. "I'm surprised it was in English."

"Oh, yah," said Nanun, throwing her voice over her shoulder, into the back seat. "It's almost all English now. They have the early French mass, but we knew not to take you to that one. The church is all different now than when I was a little girl. Then you had to wear a hat and eat fish."

"MAMA," one of the children at the back of the station wagon called out, "HOW COME THE BABY JESUS'S EYES FOLLOW YOU ALL AROUND LIKE THAT?"

"That's because He sees all things," Nanun said over her shoulder.

The family rode and entered the Little Canada district of the city; all watched as one apartment building after another passed by. Without decelerating, Nanun's husband veered the car onto a narrow sidestreet; he jerked the wheel to one side to dodge a boy who had chased a hockey puck into the road.

"*AY, TOIÉ LÀ,*" Nanun announced loudly to her husband. "*ARRÊTE DE FAIRE TON COWBOY."*

They made their way down winding streets, at a slower pace.

"I called Jeanne to come see you upstairs, Mariette," Nanun said. "She has a baby shower for one of her cousins this afternoon. She'll try to come down a little bit later on."

"Jeanne?" asked Mariette. "I don't see Jeanne." She giggled.

"SHE'S GONNA COME SEE YOU LATER," Nanun said.

"Albert says Jeanne is a cute dish," Mariette said.

Nanun and Helen looked at one another.

"Mariette, dear, do you remember that Albert is dead?" Helen asked gently.

Mariette gave her a vague look, then turned away.

The station wagon pulled into a dirt alley beside a large brown apartment building; there was room in the back yard for the tenants' cars to be parked side by side. Several children were tossing balls against the walls of an adjacent building.

"YOU KIDS WATCH THOSE WINDOWS," Nanun yelled at them.

"Yah yah yah," they retorted.

Mariette and Helen were helped, one at a time, into the dark back-door hallway, where they waited, blinking, for the rest of Nanun's family to catch up. Then each was carried up three flights of stairs, with a pause at every landing so that Nanun's husband and sons could rest.

"This is rather embarrassing," Helen said, chuckling. "I'm sure that I could make it on my own if I went slowly. I'm such a large woman. I'm afraid this must be taxing you terribly."

"*Non, non,* no problem," they replied. Nanun's husband, stooping to lift Helen again, noticed her white elastic stockings and heavy knees under her dark wool winter coat; he nodded to his son, who turned his face away to conceal a grin.

Nanun opened the apartment door, and a rush of smells permeated the hallway.

"UMMMM," one of the children called up from the second story landing. "ONIONS AND PORK!"

"That's a nice *rôti* for you today. You like pork roast, Helen?"

"I certainly do," said Helen, and together they all entered the warm, warm room.

Notices biographiques
Biographies

Claire Quintal

Richard L. Belair

Born in Central Falls, Rhode Island, in 1934, Richard Belair was educated by the Sisters of St. Anne in his parish school of St. Matthew before attending Assumption Prep School and College where he received his B.A. degree. He has a Master's degree in Education from Worcester State College. In 1974, he received a Certificate of Advanced Graduate Study (C.A.G.S.) in Media from the University of Connecticut. A teacher of English at Auburn (Massachusetts) High School since 1961, he has also taught courses in Writing at Quinsigamond Community College and Assumption College.

In addtion to *The Fathers* (1991), from which this excerpt is taken, Richard Belair has published *The Road Less Traveled*, 1965, and *Double Take*, 1979, translated in both French and German. He has published short stories in commercial and literary magazines and in F.A.R.O.G. *Forum* where he is the Contributing Editor of *"Rafale"*, a bilingual literary supplement of that newspaper published at the University of Maine (Orono). His play "Praying Mantis" was staged by the National Catholic Theater Conference, and he is currently working on a young adult novel *A Question of Facts*. In Auburn, where he lives, Richard Belair has been a Town Meeting representative since 1975, co-chairman and organizer of the Auburn Hot Line (1969-1972), and chairman of the Auburn Cable TV Advisory Committee (1981-1988). He also plays an active role in his parish.

Florence Tormey Blouin

Née à Worcester, Massachusetts, Mme Blouin fréquente l'école paroissiale bilingue Saint Nom-de-Jésus des Soeurs de Ste Anne de cette ville avant de s'inscrire au pensionnat de cette communauté, l'académie Ste Anne, à Marlboro, Massachusetts. Elle poursuit ses études au collège Anna Maria, dirigé par les mêmes religieuses, d'où elle obtient son B. A. en 1950.

Elle passe ensuite à l'Université de Montréal pour sa Maîtrise ès arts. Elle suivra aussi des cours à Paris où elle habite pendant deux ans. Revenue à Montréal, elle obtient une deuxième maîtrise en Education comparée.

Mme Blouin a tour à tour fait de la traduction et de l'enseignement. Comme traductrice, elle a travaillé pour Radio Canada, CBMT, et pour l'Office National du Film. Sa carrière d'enseignante s'est déroulée au CEGEP Lionel Groulx (1968-1971) et au Collège de St-Laurent (1971-1987), où elle a enseigné la langue et la littérature anglaises. En 1989, elle a publié, conjointement avec Christine Micusan, un livre d'anglais oral intitulé, *Developing Advanced Oral Skills in English as a Second Language*.

Normand-C. Dubé

Né en 1932 à Van Buren, Maine, mais élevé à Lewiston dans le même Etat, Normand Dubé fréquente l'école paroissiale St-Pierre et St-Paul, puis le juniorat et l'école normale des Frères du Sacré-Coeur dans le Maine. De 1950 à 1953, il enseigne à *Sacred Heart High School* de Winthrop et à *St. Dominic High School* de Lewiston avant de faire son service militaire, de 1953 à 1955. En 1956, il reçoit son BA en lettres anglaises de *St. Michael's College* à Winooski, Vermont. Il recevra par la suite sa maîtrise de la *State University of New York*, Albany, en 1958 et son doctorat dans l'enseignement des langues étrangères, de *Ohio State University*, en 1971. Sa thèse est intitulée *"Guidelines for the Teaching of French to Franco-Americans"*.

Normand Dubé a enseigné l'anglais et le français au niveau secondaire et au niveau supérieur: à *Lewiston High School*, de 1958 à 1965, ainsi qu'à *Otterbein College*, à *Ohio State* et à l'Université du Maine à Fort Kent, avant de devenir directeur du *St. John Valley* (Maine) *Bilingual Education Program*, de 1971 à 1977, et, de 1977 à 1981, du *National Materials Development Center* dans la banlieue de Manchester, N.H.

Il a publié plusieurs articles, un guide pour l'enseignement en français au niveau élémentaire et des petits manuels de classe pour l'enseignement du folklore afin de familiariser la population du Nord du Maine avec son histoire et son patrimoine culturel.

Comme directeur du *National Materials Development Center* (N.M.D.C.), il se trouve en mesure de subventionner des auteurs franco-américains contemporains, les encourageant à écrire. Il réimprime des oeuvres franco-américaines introuvables, facilitant ainsi le travail de maints chercheurs. Il fera paraître une *Bibliographie franco-américaine* par Pierre Anctil et deux *Anthologies*, dont l'une pour la littérature, par Richard Santerre, et l'autre pour des textes sociologiques et historiques, par Madeleine Giguère, réunissant ainsi plusieurs documents épars pour les mettre à la portée des chercheurs. Ce centre, qu'il dirige pendant quatre ans, publie aussi de très nombreux textes précieux sur la Louisiane francophone.

Normand Dubé est décédé en 1988, à l'âge de 56 ans, après avoir publié quatre volumes de poèmes: *Un Mot de Chez-Nous*, 1976; *Au coeur du vent*, 1978; *La broderie inachevée*, 1979, et *Le nuage de ma pensée*, 1981.

Jacquie Giasson Fuller

Jacquie Giasson Fuller received a B.A. in English from the University of Southern Maine in 1985 and an M.F.A. degree in Creative Writing from Vermont College in 1990. A part-time writing instructor at the University of Southern Maine, she has published poems, short stories, and feature articles in periodicals throughout New England, including the *Portland Review of the Arts* and *Yankee Magazine*. She is currently working on a novel about Franco-Americans which takes place in her hometown of Lewiston, Maine.

R.P. Yves Garon, a.a.

Né au Québec en 1917, le R.P. Garon fait ses études primaires aux Trois-Rivières (1924-1931), ses études secondaires aux petits séminaires de Trois-Rivières et de Nicolet (1931-1937), avant de devenir novice assomptionniste à Sillery (1937-1938). De 1938 à 1944, il étudie la philosophie et la théologie en France où il est ordonné prêtre en 1943.

Il poursuit des études de langue et de littérature françaises à l'université Laval, d'où il reçoit sa maîtrise en 1954, son Diplôme d'études supérieures en 1957 et son Doctorat ès lettres en 1960.

Professeur de français au *Prep School* et au collège de l'Assomption, de 1945-1962, il devient professeur de littérature française et québécoise à l'Université Laval en 1964. Il y enseigne jusqu'en 1969.

Depuis ce temps-là il est aumônier de religieuses (1969-1986) et vice-postulateur dans la cause du P. Marie-Clément Staub, le fondateur des Soeurs de Sainte Jeanne d'Arc. Il exerce son ministère de prêtre au Montmartre canadien, à Sillery dans la banlieue de Québec.

Ernest-B. Guillet

Natif de Holyoke, Massachusetts, Ernest-B. Guillet a fait ses études au Canada aussi bien qu'aux Etats-Unis et en France. Inscrit au collège de l'Assomption de Worcester, c'est de l'Université d'Ottawa qu'il obtient son Baccalauréat ès arts, suivi d'un B.Ph. de l'Université St Paul à Ottawa. Il obtiendra par la suite sa maîtrise et son doctorat de l'Université du Massachusetts. Il est aussi diplômé de l'Université de Bordeaux.

Le professeur Guillet a enseigné à l'Université du Massachusetts, à Westfield (Massachusetts) State College, au *College of Boca Raton* en Floride et à l'école Potomac. Il est, à l'heure actuelle, professeur de français au niveau secondaire dans sa ville natale de Holyoke. La communication présentée ici est un résumé de sa thèse de doctorat intitulée: *"French Ethnic Literature and Culture in an American City: Holyoke, Massachusetts"*.

Auteur d'un livret sur les Franco-Américains: *The History of Franco-Americans of Western Massachusetts,* il est un des directeurs-fondateurs du Festival Franco-Américain de Springfield – Holyoke.

Michel Lapierre

Michel Lapierre naît à Montréal en 1953. Il fait des études classiques au collège André-Grasset (1965-1970) et au collège des Eudistes (1970-1971). Il obtient une licence en sciences politiques (1979) et étudie le droit (1979-1980) à l'Université de Montréal. En 1981, il suit des cours de littérature française à McGill. En 1983, l'université de Montréal lui décerne une maîtrise en études françaises à la suite du dépôt d'un mémoire sur Rosaire Dion-Lévesque. En 1989, il collabore au *Québec littéraire*, revue dirigée par Jean-Claude Germain. Il est aujourd'hui vice-président de la Société pour la conservation du Sault-au-Récollet et publie les *Cahiers d'histoire* de cet organisme. Parallèlement à cette tâche, il termine à l'université de Montréal une thèse de doctorat sur le rêve d'une littérature sauvage dans les oeuvres d'Alfred Desrochers et de Jacques Ferron.

Régis Normandeau

Né au Québec, Régis Normandeau obtient son baccalauréat en études françaises de l'Université du Québec à Rimouski (1982), puis sa maîtrise en études littéraires à l'Université du Québec à Montréal, en rédigeant un mémoire sur la perception réciproque des Américains et des Franco-Américains à travers différents écrits (romans, journaux, revues, etc.) durant la période 1870-1900.

La publication chez Guérin, en 1987, d'un volume intitulé, *Textes de l'exode*, vient couronner les efforts de ce membre-fondateur du groupe de recherches "Textes de l'exode".

Robert-B. Perreault

Né à Manchester, New Hampshire, d'une famille profondément engagée dans la cause de la survivance, ce petit-fils d'Adolphe Robert (1886-1966), un des maîtres à penser des Franco-Américains, est écrivain de carrière.

Il obtient son baccalauréat en sociologie et en français du collège Saint Anselm de Manchester et une maîtrise du *Rhode Island College*.

Avant de devenir bibliothécaire-archiviste de l'Association canado-américaine (1975-1982), M. Perreault est chercheur et interviewer en histoire orale (1973-1975), sous la direction de Tamara Hareven, pour une étude sociohistorique importante sur les anciens ouvriers de la grande usine de textile l'Amoskeag.

De 1975 à 1980, il collabore au *Canado-Américain*, la revue de l'Association canado-américaine, avant d'en devenir le directeur adjoint, de 1980 à 1982. Depuis 1982, il écrit pour diverses publications de sa ville natale. Il est aussi le correspondant franco-américain de la revue *Liaison* d'Ottawa.

Robert Perreault est l'auteur de plusieurs livres, notamment: *One Piece in the Great American Mosaic: The Franco-Americans of New*

England (1976); *La presse franco-américaine et la politique: l'oeuvre de Charles-Roger Daoust* (1981); *Elphège-J. Daignault et le mouvement sentinelliste à Manchester, N.H.* (1981); *Joseph Laferrière: écrivain lowellois* (1982), ainsi que d'un roman, *L'Héritage* (1983).

Il a aussi collaboré à divers projets portant sur les Franco-Américains: avec François Roche, à la préparation d'une anthologie de textes franco-américains publiée à Paris en 1981, ainsi qu'avec Gary Samson et Pierre Anctil à un numéro spécial du magazine bilingue OVO de Montréal intitulé: "Du Québec à la Nouvelle-Angleterre/*Emigration: A Franco-American Experience*" (no. 46, 1982).

Depuis 1988, il est animateur de cours pratiques de conversation française à son *alma mater*, le collège de Saint Anselm, à Manchester.

David Plante

Born in Providence, Rhode Island in 1940, David Plante received his B.A. degree from Boston College in French in 1961, after studying for a year at the University of Louvain, Belgium (1959-1960). Following his graduation, he taught at the English School in Rome (1961-62), was a guidebook writer in New York (1962-64), a teacher at the Boston School of Modern Languages (1964-65), and St. John's Preparatory School, Massachusetts (1965-66). He moved to England in 1966 where he still lives.

In addition to his writing, he has been Henfield Writing Fellow, University of East Anglia, Norwich (1977); writer-in-residence, University of Tulsa, Oklahoma (1979-1982); writing fellow, Cambridge University (1984-85), and scholar-in-residence at the University of Quebec at Montreal (1988-1989). He is the recipient of an Arts Council bursary, 1977; an American Academy Award, 1983; and a Guggenheim Grant, 1983.

His books include: *The Ghost of Henry James*, 1970; *Slides*, 1971; *Relatives*, 1972; *The Darkness of the Body*, 1974, translated by André Simon and published under the title *La nuit des corps*, 1977; *Figures in Bright Air*, 1976; *The Family*, 1978; *The Country*, 1981; *The Woods*, 1982. These last three books were grouped together and published as *The Francoeur Novels*, 1983. Then came *Difficult Women: A Memoir of Three*, 1983; *The Foreigner*, 1984; *The Catholic*, 1986; *The Native*, 1987; *Le sixième fils*, translated by Jean Guiloineau, 1988; *The Accident*, 1991.

His published short stories include "The Buried City," 1967; "The Tangled Centre," 1971; "Mr. Bonito," 1980; "The Student," 1982; "Work," 1983; "My Mother's Pearl Necklace," 1987. "The Fountain Tree" and "The Crack" were published in *Penguin Modern Stories*, 1969; "Matante Cora" appeared in *Winter's Tales*, new series, 1990. "War", a television play, appeared in 1980.

Claire Quintal

Directrice-fondatrice de l'Institut français du collège de l'Assomption, qui ouvre ses portes en 1979, c'est elle qui organise depuis 1980 les colloques de cet institut et qui en dirige la publication des Actes. Professeur de français à l'Assomption depuis 1968, elle occupe le poste de doyenne des études universitaires de cet établissement de 1970 à 1979. Diplômée de l'Université de Montréal et de l'Université de Paris, le professeur Quintal passe dix ans en France (1958-1968), où elle fait de la recherche sur la civilisation médiévale étudiant surtout les liens entre la France et l'Angleterre pendant la Guerre de Cent Ans. Il en sort un livre intitulé *The First Biography of Joan of Arc*, 1964.

En 1984, paraît *Herald of Love*, la biographie du P. Marie-Clément Staub, a.a., fondateur des Soeurs de Ste Jeanne d'Arc. Elle traduit elle-même son livre en français. Celui-ci porte le titre de *Héraut de l'Amour*, 1989.

Le Québec la nomme à l'Ordre des Francophones d'Amérique en 1980. En 1986, elle reçoit la *Ellis Island Medal of Honor* des Etats-Unis, Nommée Officier de l'Ordre national du mérite français en 1976, elle devient Chevalier de la Légion d'honneur en 1990.

Gerard Robichaud

[Gerard Robichaud has written his own *résumé*. We publish it here exactly as he wrote it in 1991.]

My father, Michel Robichaud, (1874-1940) was from St. Louis de Kent, New Brunswick, Canada, from a family of ten. My mother was Célestine Mathieu, (1874-1919) from St. Evariste, Beauce, P.Q., Canada, also from a rather large family. They had four sons, Edgar, Louis, Gerard, Joseph, and an infant daughter, who did not survive.

Gerard was born September 12, 1908 in St. Evariste, P.Q., Canada. Edgar married Alice Breton in 1924 and had two daughters, Irene and Lucille, and a son, Robert. Joseph married and had one daughter, Claudia. These children are my only living blood relatives.

My father was a carpenter who went where the work was and took his family with him, so that my brothers and I were educated in many towns and cities, in various schools, parochial and non-sectarian in Quebec and New England. Though full of educational hazards, this experience was good for me: it taught me the art of fencing with diversity and the value of eclecticism. The most important of my work as a writer generates from that period of my life, transitional for my family and for so many French Canadians, escaping to the south for a happier life and becoming Francos.

My father could not write, could not read books, but he could read people. My mother, a school teacher, wanted very much that at least one of her sons would have the glorious benefit of a sound, classical education, that might or might not lead to a professional career, even the priesthood perhaps, or at least a rescue from the life with no future clearly reserved at that time for many Franco-Americans of my generation. Today when I see young Francos, jobless, hopeless, glad to pour gas to manage another day, I remember to tell myself: there you go, chum, but for the wisdom of your father and mother!

After proper preparation in secondary schools in the USA and in Canada, I entered a Seminary in Quebec at the age of 14 and a half and there for many years I relished the gifts of great knowledge given me: a classical education in French, English, Latin and Greek, and intimate friendships via books with the truly great writers of western civilization. For this I remain thankful to this day, but this was, unfortunately, a preparation for a life in the hereafter, nor for this life, in the here and now. The curriculum lacked any attempt even to grasp the barest inkling of the basic and beautfiul sexual meaning of the human condition. I left at 19, almost 20, unable even to pretend, for the purpose of getting a degree, any honest acceptance of this medieval theology. This, of course was in 1929. Has anything changed that much?

I escaped... to Greenwich Village in New York City, to continue my education in the lively company of future writers, poets, painters, sculptors, Martha Graham dancers, refined chorus girls, burlesque comedians, famous and infamous novelists, a new world where lifestyles were indeed your business and yours alone, a new freedom that, by the way, was more or less imitated by the 60's generation, with some reservations. We did our thing, picketed against the evil of our own day, but we also hurried to our homes to WORK. To try to create, to think, but we never thought we had a right to bore *les bourgeois* with navel-conscious confessions. Above all we strove to avoid any form of trivializations that have become the meat and potatoes of so many published books today. But then, we were not perfect either.

As a happy bachelor, I joined the US Army in 1942, spent some lazy days on Oahu, Hawaii, some very rough days and nights on Iwo Jima, came home on medical leave to arrive in my home town, New York City, a day before VJ day, celebrated with a dancer friend whose husband was a US Army tanker in Germany. When midnight came, however, my dancer friend, who had to give a performance that afternoon, had to get some sleep. She phoned a dear friend and asked her to take over to help my celebration. She did, met me in the Village and we finished the VJ festivities together. She was a distinguished social worker who became my beloved wife for nearly 40 years. Her name was Elizabeth Eckard and she was long associated with the *Travelers Aid Society* of NY; in time she became the head of it. I was employed at Citicorps, where I worked for 25 years, at the time of the arrival of the computer age. During that time I also went to Columbia University to improve my writing skills in English and took many courses in creative writing. It was not long after that I published the two books of which I am most proud, *Papa Martel* and *Apple of his Eye.*

The best years of my life were indeed those spent with my wife in the Big Town as we shared the exciting intellectual and artistic activities of the theatre, cinema, the Metropolitan Opera and Lincoln Center concerts and ballets, stimulating friendships with folks of similar or even of dissimilar tastes, with occasional forays into the Village for refresher courses into new ideas for our advancing civilization–tomorrow.

When my beloved wife died in 1988, the Big Town lost some of its appeal. I then decided to relocate in Maine where I now live. There, if only for therapeutic reasons, I decided to re-write a sequel to *Papa Martel,* entitled *A Pearl of Great Price.* It is now with my agent in New York City. Meanwhile, I am writing a screenplay, an exciting challenge. I am still going to school, so to speak. And I am grateful for the many writing friends I have met since coming to Maine.

Au mois de juin, 1990, l'Institut français, Professeur Claire Quintal, directrice, m'honorait d'une manière tout à fait spéciale pour moi et m'accordait son Certificat de Mérite pour mes romans au sujet des Franco-Américains de la Nouvelle-Angleterre.

In June, 1991, the University of Maine at Orono, offered an honorary degree of Doctor in Humane Letters, the first such, I'm told, given to a writer whose main work concerns itself with the traditions and culture of Franco-Americans.

[Gerard Robichaud moved to Manchester, N.H. in 1991. On January 15, 1992, he wrote us as follows: "I am still recovering from the move, but I do like it much better. Here, I have gone to work, writing, full time, without distractions.]

Janet-L. Shideler

Américaine de naissance, Janet Shideler vit en Ontario depuis son enfance. Elle fait ses études à l'Université d'Ottawa puis à l'Université de Toronto qui lui confère un B. A. en letttres françaises en 1980. En 1984, elle obtient une maîtrise de l'université McGill.

Son mémoire de maîtrise porte le titre "Exode et littérature franco-américaine". Elle s'inscrit par après à l'Université du Massachusetts à Amherst d'où elle reçoit son doctorat en 1991 avec une thèse intitulée "The Quiet Evolution: Regionalism, Feminism and Traditionalism in the Work of Camille Lessard-Bissonnette."

Tout en poursuivant ses études, Janet Shideler enseigne dans les villes de Renfrew et de Pembroke en Ontario, à *Worcester State College*, à l'Université du Massachusetts, comme maître-assistante (1986-87), après avoir été monitrice dans la section d'Anglais langue seconde au CEGEP de Saint-Laurent. Elle occupera aussi le poste d'assistante pour l'administration du *Five College Canadian Studies Program* (1986-87) à Amherst et pour le *Northeast Council for Quebec Studies* (1987).

Elle a été animatrice du programme "Tout en français", à WFCR à Amherst; elle a fait du travail d'édition sur des manuels de classe en français; elle a édité le *"Five College Reader's Guide to Quebec Studies"*; et elle a présenté plusieurs communications sur la littérature québécoise et franco-américaine. Depuis 1991, elle travaille dans le tourisme comme *Information Officer* à l'Assemblée législative de l'Ontario.

Bill Tremblay

Born in Southbridge, Massachusetts in 1940, Bill Tremblay often refers to his home town and to his ethnic roots in his writings. In an interview with a local reporter, after his reading at this colloquium, he stated that he wants to make the same 300-mile trip his great-grandmother made during the 19th century. The journey would start in Quebec and, following the shores of the St. Lawrence River, would take him to New England and the mill town of his birth and childhood.

An accomplished poet, Bill Tremblay is a professor of English at Colorado State University and editor of *The Colorado Review.* Tremblay has published the following books of poetry: *A Time for Breaking,* 1970; *Crying in the Cheap Seats,* 1971; *The Anarchist Heart,* 1977; *Home Front,* 1978; *Second Sun,* 1985; *Duhamel: Ideas of Order in Little Canada,* 1986. Tremblay has also written the following long poems: *Peaceable Kingdom,* a poem, 1977; *Hart Crane's Example* published in *The Pikestaff Forum* (Winter 1978-79).